JN078976

人と地球をたずねて

The Never-Ending Search for Human Relations and Global World
— Critic and Essay Collections of Koichi Fukao

竹林館

まえがき

皆さんこんにちは。お元気ですか。深尾幸市と申します。

新型コロナウイルス感染症・COVID-19が世界恐慌を到来させ、医療危機と経済危機という双子の国難をもたらしました。恐らくこれからも人類共通の脅威と戦うことになるでしょう。

さて、『私のアフリカ、私の旅』を二〇一八年三月に出版して三年が経過しました。その後に執筆したエッセイ・紀行・書評を再び一冊にまとめておきたく、『知の散歩道』（自分史）の旅の一部も加筆修正し編んだのが本書です。構成は、Ⅰ 人と旅、Ⅱ 評論・エッセイ、Ⅲ 詩論・文学芸術論、Ⅳ 書評、としました。ご関心のある個所どこからでもお読みいただければ幸甚に存じます。

The Never-Ending Search for Human Relations and Global World — Critic and Essay Collections of Koichi Fukao — CONTENTS

深尾幸市評論・エッセイ集　人と地球をたずねて　目次

Chapter Ⅱ（評論・エッセイ）

Chapter Ⅲ（詩論・文学芸術論）

Chapter Ⅳ（書評）

人と旅

The Never-Ending Search
for Human Relations and Global World
— Critic and Essay Collections of Koichi Fukao —

ウスビ・サコ京都精華大学学長インタビュー

日本の大学に初のアフリカ人学長が誕生した。京都精華大学のマリ人ウスビ・サコ（Oussouby SACKO）教授である。日本アフリカ学会第50回学術大会が２０１３年5月25日（土）東京大学駒場Ｉキャンパスに於いて開催された。この懇親会で京都精華大学人文学部長のウスビ・サコ教授に初めてお目にかかった。その後、筆者が所属するボランティア活動ＮＧＯ ＳＥＳＣＯ（アフリカの子ども支援）や「アフリカ・Meets・関西」のイベントやセミナーに登場して講演やコメンテーターをしていただいている。去る２０１８年4月に学長に就任され、改めて面談の機会を得て、２０１８年7月27日（金）に京都精華大学学長室を訪ねた。

――こんにちは。4月1日の学長就任祝賀会（於 国立京都国際会館）以来ですが、お忙しい日々でしょうね。

理事会からの宿題、事前準備は始めていたものの3月31日と4月1日では全く異なり、決済しなければならない事項が押し寄せてきました。忙しい日々を送っています。

――まず、大学の建学の精神と抱負についてお聞かせくださいますか？

京都精華大学の建学の精神は、「人間尊重」「自由自治」。多様な価値観を認め合い、国や地域、人種、性別、信仰などの違いを超えて学びあう人々の場所としてはじまり、理念としても大学は人間とは何かを考える場であると掲げています。学生にはすぐ役に立つ技術ではなく、真の教養を身に付けさせなければならない。そのための改革を押し進めていきたいと考えています。

対談（左・筆者，右・ウスビ・サコ学長）

——大学は、「芸術」「デザイン」「マンガ」「ポピュラーカルチャー」「人文」の5学部があり、今年創立50周年を迎えましたね。

学長就任後の将来構想委員会では10年、20年先の望ましい姿を描きアフリカ色も出し、そのエビデンスを準備します。日本では子どもの人口減少で大学数も淘汰されると思われますが、世界人口は増加し、とりわけアフリカは急増しています。しかし高等教育を求める場所は限られています。私は、政府機関、大学、NGO、JICAなどと協働しアイディアを提供していきたい。本学の具体的な制度改革としては、4学期制にして海外への長期インターンシップに対応できるよう検討することをめざしています。

——さて、サコ先生は幅広い活動をされており、いろいろな研究会、団体と関係を結ばれていますね。

現在関係している研究会は日本アフリカ学会、アジア・アフリカ地域研究などもありますが、ユネスコの諮問機関であるＩＣＯＭＯＳ（国際記念物遺跡会議）のメンバーとして「Analysis and Architectural Heritage」および「Earthen Architectural Heritage」の各分科会に参加しています。また、文化遺産国際協力コンソーシアムの会員としてもアフリカの文化遺産保護を研究しています。

――研究者としては、どのようなテーマをおもちですか？

私自身は、人の動きやコミュニティのあり方から空間を考察する「空間人間学」を研究テーマにしています。具体的には、京都市内の裏路地にある長屋の一軒を借りてコミュニティがどう変化していくかを参加しながら観察しています。新たに入ってくる人と従来の人がどう接していくのか、とても興味深いです。

――日本の大学に対する印象は？

日本の大学に来て驚いたのは、同級生はみな同じ年齢であること。マリ共和国では、小学校から留年制度があり、中学や高校進学は試験に合格しなければならないので同級生であっても年齢はバラバラであるのが当たり前です。

マリの首都で生まれ育ちましたが、23の民族があり、宗教も言語も異なる人々が集合居住しています。そのような環境では、人々は自然と多様性を認識するようになります。日本社会でもグローバル化の急速な進展で、「多様性」がキーワードになっており、本学でも多様性を重視し、社会の通念に捕らわれない学生を育てていきたいと考えています。

――最後の質問ですが日本・京都の生活は如何ですか。

京都で暮らすようになって茶道も学び、前述のように路地裏・長屋生活もしました。外国人が本当の京都を理解するには、まだまだ深い発信が必要です。家族は日本人の妻と長男（社会人）、次男（大学生）２人の息子がいます。

サコ学長の自信に満ちた発言と明るい笑顔は、京都精華大学に最も相応しいと好印象を持ってインタビューを終えた。

ウスビ・サコ（Oussouby SACKO）

１９６６年５月マリ共和国の首都バマコ生まれ。85年に中国の現・北京語言大学に留学。同国・南京の東南大学と同大大学院で建築学などを専攻。91年に来日。京都大学大学院建築学専攻博士課程修了。２００１年京都精華大学講師。同大准教授を経て、13年同大教授。18年４月学長就任。

筆者（深尾）は１９８０年代にナイジェリアに３年間企業の駐在員経験をしたことが契機となり、後年アフリカ子ども支援活動やキンシャサ（ＤＲＣ）のストリートチルドレン対象のフィールドワーク、ケニア・ナイロビ郊外のスラム街・キベラの初等教育の調査、エチオピアのＮＧＯ　ＷＩＳＥ（主に貧困女性支援）など報告してきた。サコ学長とはアフリカ開発会議などを通じて勉強会に参加、今後も研鑽を継続したい。

SESCO（世界の子どもたちに学校を贈ろう会）理事、医師

カルビ・ブカサさんをしのぶ

In memory of Kalubi Bukasa, A board member of SESCO, doctor

２０１８年11月18日にカルビ・ブカサ（Kalubi Bukasa）さんが急逝された。２週間前に神戸で開催した「アフリカ・Meets・関西」のイベントで一緒に行動し、帰路、梅田のホテルのバーカウンターでカクテルを一杯やったばかりだった。信じられない。彼はコンゴ民主共和国（DRC、旧ザイール）から１９８６年に来日。翌年、大阪大学大学院医学部へ留学生として入学し、32年間、大阪や徳島での大学教育やＮＧＯ ＳＥＳＣＯ（Send Schools to Children of The World）の活動に尽力された。

カルビさん（仲間内ではこう呼んでいたし、彼も満更ではなかったようだ）に最初にお目にかかったのが１９９４年12月。ＳＥＳＣＯのシンポジウム、「アフリカの『民族問題』を考える」のパネリストの一人がカルビさんであった。以来、共にＳＥＳＣＯの活動、アフリカの子ども支援とアフリカを伝える活動を行ってきた。後年、私が大学院で「キンシャサにおけるストリートチルドレンの現状とＮＧＯの取り組み」のフィールドワークを実施した際に、キンシャサ大学の

教員の紹介やキンシャサの治安・習慣などについて様々な助言をいただいた。２００９年5月に東京農業大学で開催された第46回日本アフリカ学会学術大会では共同発表をした。その前夜、在日本ＤＲＣ大使館にマルセル・ムールンバ・チディンバ（Marcel Mulumba Tshidimba）駐日大使（当時）から招待され、カルビさんとチディンバ大使ご夫妻、私の４人で、ＤＲＣの経済・社会を中心に談笑した思い出は忘れることができない。

また、カルビさんが徳島大学に勤務されていた時期にはたびたび訪問し、拙論の英文の指導を受け、大阪に来られた際には拙宅での宿泊もあり、交流を深めた。私が自分史『知の散歩道』を発刊したときには対談を試みた。記憶にあるエピソードとして、来日された初期のころ、天気予報の「時々一時雨」がどうして1時になると雨が降るのか不思議でならなかったとか、日本人の友だちと食事に行くと毎回「取りあえずビール」と注文するので、長い間、キリンやアサヒと同様にこの言葉はビールの銘柄だと思っていたことなどがある。

右端・カルビさん、右から二人目・筆者

カルビさんのSESCOでの活動は、1992年に「ザイールの屋根のない学校に屋根をかけよう！　チャリティーパーティー」を関西のビジネスマンに呼びかけたことから始まった。以降、ガーナ・チョーコー村に女性のための職業訓練校を建設。阪神・淡路大震災救援物資の輸送協力、被災留学生への教育支援基金設置、さらに、毎年のプチ親子国際会議、アフリカン・クリスマス・ナイト、アフリカンセミナーなど、様々なボランティア活動を継続、発展させた。いつも真面目で、祖国のDRCを思う気持ちは熱かった。

2人の息子さんはパリに住み、お孫さんの話になると破顔そのものになる。ただ一度だけ、しみじみと自らの人生について語り、日本への留学後にキンシャサ大学で奉職する予定が、政変と大学閉鎖の時期が重なり帰国がかなわぬ結果となった、と少し悲しそうに話していたのが印象に残っている。思い出話は限りなく、含蓄のある話題と実践は、カルビさんから良き人生の機会を与えてもらい感謝するばかりである。合掌。

カルビ・ブカサ（Kalubi Bukasa）

1950年、旧ベルギー領コンゴ・レオポルドヴィル（現コンゴ民主共和国・キンシャサ）生まれ。キンシャサ大学医学部卒業後、1986年に来日。翌年、大阪大学大学院医学部に入学、耳鼻咽喉科博士後期過程を修了。その後、関西医科大学非常勤講師、徳島大学大学院ヘルスバイオサイエンス研究部講師、大阪大学医学部医学教育センター特任准教授を務める。SESCO、GA（Groupe Alternative）理事。

マニラ・ダバオ・セブ周遊記

― MINDANAO KOKUSAI DAIGAKU を中心に ―

２０１７年10月末にマニラ・ダバオ・セブを巡ってきた。ロゲイショニスト・カレッジ（ＲＣ：Rogationist College）及びフィリピン・ミッショナリー・インスティテュート（ＰＭＩ：Philippine Missionary Institute）については後述しており（本書53頁参照）、今回はミンダナオ島の教育機関について簡単ながら報告をする。周知のとおりダバオはドゥテルテ新大統領が20年間市長を務め安定した街を築いたことで知られる。また、５００キロ近郊マラウイの反政府紛争問題も沈静化している。

現在ダバオには１３７万人が暮らし、世界一行政面積・２４００平方キロの広い市と言われている。戦前には１万人以上の日本人がこの地でマニラ麻の生産に従事した。当時ダバオの日本人町はアジア最大規模で現在もその子孫が多いと聞く。古川義三著『世界ひとのぞ記』（１９３０年６月発行）によると、氏が初めてダバオに来たのは１９１４年３月、資本を投入して事業を始めた。在留民が８千人。ミンダナオ島は、北海道より大きく人口は80万人。世界大戦中マニラ麻の市況がよく日本の資本と移民が入り込んで開拓を始め、一時期日本とフィリピン間に摩擦もあったが、その後フィリピン当局も理解を示し、日比共存共栄の立場で事業継続を図った。１９２６年から28年頃のダバオ産マニラ麻の使途、製品、市況など詳述されていて興味深い（筆者は繊維会社に入社し、マニラ麻にも関心をもった）。

10月26日夜、ダバオ国際空港安着。ＲＣの教務部長ダニィ（Danny C.M.／ダバオ出身）の紹介によりレンタカーのオーナー、アコール・オベ（Acoll Obe）夫妻が出迎えてくれて、初対面ながらホテルで夕食を共にした。夫人が高校の元英語教師で、ダバオについていろいろと聞くことができた。翌日はオベ氏の案内で大学を中心に街を廻る。

ミンダナオ国際大学（MINDANAO KOKUSAI DAIGAKU）

ダバオ国際空港から車で約30分、アングリオンゴト・アベニュー，ラナン（Angliongto-Avenue, Lanang）にある6階建ての建物がそれである。訪問時にはイネ・マラー（Ines P. Mallar）学長は日本へ出張中。本学は２００１年に日本フィリピンボランティア協会元副会長、故内田達夫氏の資金により建設された。

「大学案内」の学長メッセージによれば、「本学は世界でも唯一の日系人によって運営されている大学です。本学は日本とフィリピンの架け橋となるために設立されました。本学はフィリピンの教育制度に基づいて運営しているが（中略）言語、習慣や文化の観点において日本と深い関係を築くことに努めている。本学では日本語科目は必須科目です。（中略）卒業生はフィリピン国内外、日本の一流企業に注目されている。理念は、基本理念である奉仕、学際、将来に基づき、学生の一人一人が世界の様々な困難に立ち向かえる力を持てるよう、総合的かつ質の高い教育を提供する。展望は、職業倫理と国際社会で活躍できる力を備え、優れた日本語能力並びに多文化的価値観を持ちあわせたアカデミックコミュニティーを目指す」。

国際学科学科長・井上直之氏（在比3年）にも面談した。

大学の構成は教育学部、教養学部（国際学課／日本語日本学専攻）、人間科学福祉学部、社会福祉学科、起業家育成学科、情報芸術学科。学内は全教室にエアコンが完備され、インターネットの無線設備も導入されている。ユニークなのは、「ＭＫＤ日本語ラジオステーション」という放送番組をもっていることである。

ミンダナオ国際大学前で

なお、安倍晋三首相が２０１７年1月にダバオ市のミンダナオ国際大学を訪問し、フィリピン日系人会インターナショナルスクール（ＰＮＪＫ）とミンダナオ国際大学（ＭＫＤ）の学生、保護者、教育関係者から熱烈な歓迎を受けたと報じられていた。

フィリピン日系人会国際学校（International School）

アポイントを取っていなくて突然の訪問。最初に対応してもらったのがフィリピン人と結婚している日本語教師で、アヤコ・グスマン（Ayako Guzman）さん。本校は「グローバリゼーションの時代に国境はない。」と日系フィリピン人学校として、日本語力、フィリピンと日本の優れた価値観を身につけた生徒の育成を目指している。在比25年。修学年数は、小６・中４・高２、在学生総数１５００人。生徒の内訳は、一般のフィリピン人が70％、旧日系人は、戦前からの三世新日系人、父親は日本に住み、母親と子どもだけが在住、子どもは親戚に預けられている場合が大半という。

ミンダナオ大学（University of Mindanao）

１９４６年に設立された本学はミンダナオの最大の民間非宗派大学。13のキャンパスが開設され、会計士、コンピューターエンジニアリング、情報技術プログラムの開発センター、経営管理、犯罪学、教員養成プログラムなどが学べる。キャンパス外観を見て回るだけに終わってしまったけれど。

カトリック高校ダバオ協会（Davao Association of Catholic Schools, Inc.）

ジミー・レオ・ベガ（Jimmie-Leo P. D.Vega）代表に面談。２０１５～２０１６年のダバオ市内の学校数25校、生徒数８７，３５１人、ダバオ管区における大学数68校、学生数１２５，４２９人など親切に資料と説明をしていただいたが、当方に基本準備ができておらず消化不良、詳述はパスする。悪しからず。

付記

セブへは日程的に週末となり教育機関も閉鎖されていて、セブ州立大学、サンカルロス大学などキャンパスを外から眺めるに留まった。次の機会を期したい。

中米4カ国（パナマ・コスタリカ・グアテマラ・メキシコ）弾丸一人旅（1）

パナマ編　山の中を船が行く

中国の習近平国家主席が2018年12月3日中米パナマを訪問、バレーラ大統領と会談し、新たに建設されたパナマ運河の水門を見学した。習近平氏はパナマ運河について、「中国が深く関わる世界の貿易において、より大きな効果を発揮させることができる」と述べ、中国の関与強化に意欲を示した。パナマ運河は太平洋と大西洋を結ぶ世界の物流拠点で、中国は巨大経済圏構想「一帯一路」に戦略的要衝として取り組む構えである（1999年に運河をパナマに返還した米国は、自国の〝裏庭〟での中国の影響力拡大に警戒感を高めている）。

さて、この報道に先んじること2週間前の11月に現地を訪問した。かねてからパナマ運河を観たいと思っていた。出発に際し所属する民間外交推進協会（本部）を通じて在日パナマ共和国大使館へ「パナマ大学」の資料を依頼したところ、駐日パナマ共和国大使であるリッテル・ディアス（R.N.Diaz）特命全権大使から面談するとのご返事をいただき、急遽大使館を訪ねた。大使は米ウィスコンシン大学卒、筑波大学大学院修士（国際政治経済学）。14年から駐日大使。

奥様は日本人。当日はパナマの基本情報を伺うと共にパナマ大学の友人を紹介していただいた。

２０１８年11月19日　パナマ・トクメン国際空港着（伊丹―成田―ヒューストン経由、乗り継ぎ待ち時間含めて25時間）。時差15時間。気温29度、湿度80％。パナマの面積7・6万平方キロ（北海道よりやや小さい）。高温多湿の亜熱帯気候。人口約４００万人、首都圏約１２０万人。在留日本人約３００人。通貨は正式に「バルボア」とされているが米ドルがそのまま使われている。新市街のビジネスホテル Hotel Marbella に投宿した。簡素。

パナマ運河

パナマ運河　今回はスペイン語圏故、通訳に山田百合香さん（元海外青年協力隊員）にパナマ運河・ミラフローレスへ同行し、詳細に説明してもらった。パナマ運河は太平洋と大西洋をパナマ地峡で結ぶ全長80キロの閘門（こうもん）式運河である。最終、米国により１９１４年に完成。閘門はミラフローレス、ペドロミゲール、ガツンの3カ所にあり、３つの人造湖を通過する。所要時間は9時間。一日平均航行量は37隻、年間１３，０００隻が通過するという。中国の援助による拡張工事（高さ12・8→18・3メートル、中央の長さ３０４・8→４２７メートル）は２０１６年6月に完了。より効率的で維持・管理が優良な引き戸のローリング・ゲートが使用された。閘門自身は想像したほどの巨大なものではなかったが80キロに及ぶ太平洋と大西洋を結ぶ運河の発想は投じられた資金と労力と時間は半端ではないことを実感した。ミラフローレス水門（3階建て）の屋上へ出ると丁度目の前を日本郵船のコンテナ船が通り、眼下では小船も入って来ている。ここからの景色は視界が広く、サブタイトルの如く「山の中を船が行く」。遠景に大型貨物船・石油タンカーがゆっくりと移動する姿に感慨をもよおす一場面であった。飽きない。ペリカン数羽が飛翔していた。

パナマ大学　大使に紹介していただいた友人とは世界的に著名なデザイナー・建築家のドラ・ベルタ・ポロ（Dra. Berta Polo）教授（ソ

パナマ大学・学長室にて　右手前 B. Polo 教授

ルボンヌ大学卒）。ご自身の運転でホテルまで迎えに来ていただき、しかも英語通訳に元パナマ放送局のロサ（Rosa）さんを伴って。大使紹介の友人とは男性とばかり思いこんでいたのでご婦人との初対面には少々驚いた。

パナマ大学では、Dean（学長）のドラ・ブスタマン（Dra. M. Bustamane）をはじめ2人の教授同席のミーティングが始まった。準備不足で戸惑ったけれど。主題としてパナマの教育制度を質問した。小・6、中・3、高・3、大（私立・公立）4年。唯一国立のパナマ大学は１９３５年10月に設立。地方に10、拡張が3、新しいプログラムが30ある。大学は公共・行政、教育、政治、経済、農業、医学、看護、通信など19学部で構成されている。学生総数６５，０００人、教員数４，５００人。日本とは千葉大学・農学部と交換留学生制度を実施している。筆者は自己紹介用に著書『私のアフリカ、私の旅』を持参したのが少しばかり功を奏したのか「アフリカ、ＮＧＯ」に対しても興味を覚えられた様子で幾つかの質問を受けた。日本に対する関心も強く、好意的との印象を深めた。満悦満足。

中米4ヵ国（パナマ・コスタリカ・グアテマラ・メキシコ）弾丸一人旅（2）

コスタリカ編　サン・ホセの街とコスタリカ大学

昆虫や小鳥に関心のある方なら中米のコスタリカをご存知でしょうが、一般的にはあまり馴染みがないと思われる。しかしTVをほとんど観ない筆者故、旅番組などで結構紹介されているかもしれない。２０１８年11月に訪れた。パナマ共和国の隣国コスタリカ／サン・ホセへは空路20分。入国にイエローフィーバーの証明が必要。日本人は余程信用があるのか入国時パスポートを一瞥しただけでパス。父親が日本人、母親コスタリカ人ミックスの丸山真理さん（拓殖大学スペイン語科卒）、在12年に半日通訳とガイドをしてもらった。コーヒー農園や火山など山々に囲まれた高原都市サン・ホセは標高１１５０メートル、気温23度と快適。但し人口集中による中心部の交通渋滞や治安の悪化は避けられない。

基本情報　人口４８１万人、首都サン・ホセ約33万人。面積５・１万平方キロで日本の四国・九州を合わせた大きさ。カルロス・アルバラド・ケサダ（Carlos Alvarado Quesada）大統領。民族構成はスペイン系および先住民との混血95％、アフリカ系３％。宗教はカトリック85％、プロテスタント15％。公用語はスペイン語。通貨はコロン（Colon）ながら米ドルが使われている。軍隊のない平和な国家として１９８６年にノーベル平和賞を受賞している。在日本人約３５０人。日本人学校在籍12人。平均年収１４００ドル。消費税13％、サービス税10％。

街の様子を紹介しよう。首都サン・ホセは中心街にホテルやレストラン、博物館などが密集しており、中心部のアベニューダ・セントラルには高い建物がなく、コロニアル調の街は独特の雰囲気をもつ。行き交う人も多い。文化広場にはコスタリカ中央銀行博物館がある。

国立博物館　１９４９年にコスタリカの軍隊が廃止されるまで陸軍の司令部があり要塞だった外壁黄色の建物。先史時代の石器や土器、化石、スペイン植民地時代の家具や装飾品、コーヒー産業の歴史に関する資料が展示されていた。中庭には世界遺産に指定された謎の真ん丸の石球がある。直径２６０センチ、重さ25トンとか、何を目的にしたかはわからない。

国立劇場　文化広場に面し、１８９０年代にパリのオペラ座を模倣して造られた。正面の屋根には3体の彫刻が立っており、舞踊、音楽、名声を表現していると説明された。コーヒー税の富豪の財力によって造られた。中に入ると規模は大きくないが大理石の階段、各部屋のシャンデリアや燭台は豪華であった。金とベネチアミラーをあしらった内装もさることながら天井のフレスコ画が一見に値する。門前には鳩の群れが占拠していた。

中央市場　１８８０年に創業され、生鮮食料品、果物、花、衣料品、土産用小物がところ狭しと並べられ、活況に溢れている。簡易食堂も多数あり丸山さんとコスタリカの庶民食を試した。豆、芋、鶏肉をベースにカレー風。「インペリアル」ビールと共に。正直なところ不味くはないが特別お薦めと言うほどではなかったけれど。

コスタリカ大学（Universidad de Costa Rica）　突然の訪問故、受付で英語のできる人を紹介してほしいと依頼する。若いスタッフが親切にも数分離れた建物へ案内し教務部へ連れていってくれた。若い教務課長とおぼしきエリカ・ベガ（Erika-Vega）嬢が対応、説明を受けた。この国最初の大学コスタリカ大学が設立されたのは１９４０年と歴史は浅い。現在の学生総数は４０，５８５人。教職員数は公表していない。学部は、芸術、文学、農業食品、法学、教育学　社会科学、経済、化学、医学、歯学、微生物、薬学、理工学部の13から成る。校門前で学生に写真を撮ってもらったが、彼はカリフォルニア大学の写真部に留学していたと自慢した。

ホテル・バルモラル（Balmoral）　サン・ホセ街の中心にある一応高級と言われるホテルに投宿。ホテル周辺夕方の商店街の賑わい、露天商の呼び込みなど半端ではなかった。翌朝タクシーで中心から少し離れた辺りを通過すると平凡な家屋ながら赤、黄色、マリンブルーが多く色彩鮮やか、貧しい中にも相応の豊かさを感じさせた。

サン・ホセの中心街

中米4カ国（パナマ・コスタリカ・グアテマラ・メキシコ）弾丸一人旅（3）

グアテマラ編　ユネスコ世界遺産アンティグア

２０１８年11月の標記弾丸一人旅の最終回。コスタリカ（ファン・サンタ・マリア空港）からコパ航空にて空路2時間。ラ・アウロラ国際空港、半地下の到着ロビーから建物上階経由で外へ出るのに少しばかり戸惑った。標高１５００メートルで気温は28度とやや暑い。スペイン語通訳は筒井久美子さん（元海外青年協力隊　岐阜大学農学部卒）に出迎えてもらう。大学時代半年間のボリビアをはじめとして南米を歩いたのが契機となり、後年グアテマラ大学大学院へ入学しスペイン語を磨いた。政府プロジェクト農業支援にも関わったが、政府の財政状況が悪く給与も支払われないので止めたとのこと。現在もＮＧＯ活動として農業開発（有機化学）の指導をしている。筆者もアフリカのＮＧＯについて学んできたので共通項が多く話が弾んだ。車で移動中、外のガイドが疎かになり、「今、通り過ぎたのが何々の建物でした」が多くなって、お互い苦笑し合った。

基本情報

グアテマラ共和国は北緯14度～18度、亜熱帯、面積約10・9平方キロで、日本の3分の1。人口1634万人。首都人口215万。ジミー・モラレス（Jimmy Morales）大統領。民族構成はマヤ系先住民46％、メスティソ・欧州系30％、その他ガリフナ族など24％。宗教はカトリック65％、プロテスタント30％、そのほか伝統信仰がある。在住日本人約300人。在日本人学校9人。

古都アンティグアーユネスコ世界遺産

アンティグアはグアテマラ・シティから車で約1時間。1773年の地震によって大被害を受け現在の首都へ移された。十字架の丘からアンティグアの町全景が眺めら

古都アンティグア

れ、教会をはじめとする各施設が確認できる。町の背後に富士山に似たアグア火山、右側にはフエゴ火山と三方が囲まれている。街に入ると市庁舎を中心にカテドラル、博物館、美術館、修道院が連なっており古都のコロニアル建築や敷石の道など街並みが美しい。求めた店の茶色の小瓶リキュール「ロン・サカパ（Ron Zacapa）」の色と姿と味は素晴らしい。また、この地にはスペイン語学校が多いそうだ。

夜は、2006年に大阪大学大学院人間科学研究科で同じゼミ生として内海成治先生に学び現在アメリカ大使館に勤務するロペス（Mrs. Lopez）と中華料理店で旧交を温めた。再来日がなく懐かしそうだった。翌日は市内を散策。フランシスコ・マロキン大学内にある「イシュチェル民族衣装博物館」を訪ねた。土曜日、入場に長蛇の列で諦めた。博物館の前には卒業記念なのか正装した家族と角帽を被った若者が多く賑わっていた。

メキシコ・シティの街角にて　グアテマラから最後の訪問国メキシコへ。人口約900万人の首都メキシコ・シティは今までの3国とはスケールが異なる。犬の散歩やサイクリングに励む家族の穏やかな日曜日の朝、街の散策、露店巡りをはじめエンジョイしたがここでは課題を一つ。

親子3人、母親と6歳、10歳くらいの子どもが交差点で「棒アメ」を売っていた。旅ではいつもの如くベンチに座ってぼんやりとマンウオッチングしていた。20～30分しても買う人はいない。この子どもをカメラに収めたいと思ったが母親の了解がいるし、言葉の壁もある。断念した。ところが30分ほどしてランチをとるためレストラン街エノヴァ（ENOVA）へ向かうと先ほどの親子3人がベンチに座っていた。思わず通じない言葉をかけ20ペソを渡して写真を撮った。が、この行為はマナーに反しないか。子どもは嬉しそうに（と勝手に思ったが）母親を見上げた。お金を渡して写真を撮る。「棒アメ」を買ってあげたうえで撮った方が良かったのではないかと反省しているが未だ結論が出ない。

　沢木耕太郎が「その問いの前で」記述している。フォト・ジャーナリストが戦場で「写真屋！　どんな気で写真がとれるんだ！」写真を撮る前に人命救助が先ではないか。このような大袈裟な話ではないとは言え、旅する毎に各国各地で見かける貧しい人々との出会いに悩むことが多い。

メキシコ・シティ　路上で棒アメを売る母親と二人の子ども

世界の旅 ―僕の小さな体験記―

リーガ（Riga）

1998年9月、バルト三国のひとつラトビアはリーガの思い出から。

隣国リトアニアの首都ヴィリニュス空港から33人乗りのプロペラ機でリーガ空港へ到着。乗客は6人。皆はさっさと通関手続を終えて出て行ったが、ビザを持たない僕は一人残され手間どった。特に申告用紙の内容を理解する前に部屋の明かりが暗すぎて活字が読めない。ブースには若い女性が一人本を読んでいてそしらぬ様子。やっと書き終えて持参の写真と20USドルを差し出して無事通過。ここでニッコリしてくれたがもう少しサービス精神があれば旅行者も助かると思ったものだ。

リーガ滞在中の三つの出来事を記す。

ラトビア大学にて 街を歩いていたら古色蒼然とした大学に突き当たり、ならば記念品でもと捜したがシール以外何もない。幸運にも、その時売店で出会った美人の女学生（後で判ったことだが、ミス・ロリータという夜間大学の学生）に学内を案内してもらえた。最終的にはインターナショナルオフィスへ案内され留学生制度について説明を受けるはめになった。日本語学のプログラムがあることを知り申請書をもらったが使われずじまいになっている。

両替の話　リーガの中心街、小銭が不足したので、近くの銀行へ立ち寄り5千円紙幣を両替してもらおうとした。2人の女性行員が奥の方から大部な写真集みたいな冊子を持ち出してきて照合する。そこには戦前の日本紙幣、軍票も散見され、窓口の外から珍しいものを見ることができた。無事5千円札の写真が見つかり、現地通貨に両替ができて一安心。いつもの空港での両替と異なり、街の中、小口故の小さな発見、興味深いひと時であった。

A＆Eという貴金属店での話　「Riga in Your Pocket」という現地の案内書のスーベニア覧に載っていた一行を頼りにゴルバチョフ大統領やクリントン大統領が訪問したA＆Eを訪ねる。クリントンがヒラリー夫人に琥珀のネックレスをお土産に買った事実を確認する。女店員に尋ねてみると奥から大統領が購入した証拠写真を持ち出してきて見せてくれた。値段は数十万円とのこと（モニカ嬢にも土産を買ったかどうかは聞き漏らした）。

リーガの街は美しい。聖ペテロ教会尖塔からの旧市街の眺めは秀逸であった。

ホノルル（Honolulu）

僕が愛読するノンフィクション作家の一人沢木耕太郎が書いていたが、「世界の旅はハワイに始まりハワイに終わる」と。記憶によれば昼の間はハワイ大学で読書、夕方少しランニングをした後ステーキを焼いて夕食をとり、就寝前には近くのバーで軽く一杯と。大賛成。

さて、２００９年12月23日、成田国際空港（ＪＡＬウェイズ０７６便　19：40分出発）からホノルル国際空港、真冬から真夏である。オアフ島は年間通じて22度から25度平均。時差19時間。現在のアメリカ渡航には事前にＥＳＴＡ（電子渡航認証システム）の手続きをしなければならないし、入国審査では指紋の採集と顔写真を撮られる。以前に比べて面倒になった。

結婚式

私事ながら24日に次男の結婚式のためオアフ島のイースト・ショアーにあるアロハ・ケ・アクア・チャペルへ出向く。快晴。海が美しい。

出会ったわけではないが、同日オバマ大統領と家族がクリスマス休暇として10日間ホームタウンにやって来たと現地の新聞（"The Honolulu Advertiser"）が報じていた。比べて鳩山首相は1月1日から4日間の正月休みとか。

大統領の休暇先はその教会から10数キロ東のカイルア・ビーチ（KAILUA）。オアフ島で最も美しい海岸と言われ、ウィンドサーフィンのメッカでもあると言う。

エアーフォースワンから降り立った様子を詳しく報じていた。大統領は青の縞模様のワイシャツを腕まくりしてオレンジ色のサンドレスを着た次女サーシャの手を引いて。ファーストレディのミッシェル夫人はスリーブレスの青いドレスでピンクパンツに緑色の花柄を着た長女マリアと共に。セキュリティの問題から広範囲にわたり警備され、地域住民からのコメントが面白い。歓迎の声もあれば交通渋滞の被害があると苦情を言う人もいる。当然だ。

僕の滞在は今回もワイキキ海岸のコンドミニアム。ホテルより自由で好きだ。ザトウクジラを見学に船に乗りホエール・ウォッチングへ。残念ながら尻尾だけで潮吹きまでは見られなかったが、海から見たワイキキビーチの景観は圧巻であった。

まずはホテル群。アロハタワーから東へハワイプリンス、ヒルトン・ハワイアン、ワイキキショア、アウトリガー、ハレクラニ、シェラトン・ワイキキ、ロイヤル・ハワイアン、ハイアット・リージェンシー、アストン・ワイキキ、ワイキキ・ビーチ・マリオット……。

そしてダイヤモンド・ヘッド（標高232メートル）の海に突き出たその姿が美しい。青く澄みきった海面は何処までも続き、爽やかなひと時を過ごすことができた。

12月25日クリスマスはシェフ・マヴロ（CHEF MAVRO）へ。時期だけに予約に難航したが、丁寧な待遇、上品な淡い色調の調度品、快適な空間の良さ、シェフのワインの扱い、どれをとってももてなしが一流と感じた。料理は前菜のきのこ、メインの和牛を経てポルトガル風マデラケーキとパイナップル・ココナッツアイスクリームのデザートまでバランス良く、とりわけワインや食後酒のテスティングのサービスが行き届いていて気分の良いクリスマスディナーとなった。当日はセットメニュー2種のみで、Aが84ドル＋ワイン55ドル（Bは128ドル＋ワイン63ドル）。「MARA」2003年のイタリアワインを賞味した。暖かい処でのクリスマスも悪くないね。

海から見たワイキキビーチの景観

ハワイ諸島

大小132島からなっている。ハワイ州旗は8本の横縞があり、ニイハウ、カウアイ、オアフ、モロカイ、ラナイ、カホオラウェ、マウイ、ハワイを指すが、居住できるのは7島（除くカホオラウェ）のみである。

ザルツブルグ（Salzburg）、ブルージュ（Brugge）、そしてベルンカステル（Bernkastel）

１９８０年代半ば繊維会社に勤務していた僕は3年間デュッセルドルフに駐在した。以来、今でも何かの折にヨーロッパが話題になると、「ヨーロッパの何処へ行ったらいいですか」と質問を受けることがある。

僕は質問者が何に興味関心があるかで回答が異なると考えており、「あなたの興味・関心は、人、歴史、政治、経済、社会、都市、建築、風景、美術、音楽、グルメ、買い物……の何ですか」と答えてしまうことが多い。

ロンドン、パリ、ミラノ、ローマ、マドリードといった大都市とは別に僕の気に入っている都市（街）は、ヨーロッパ中世のたたずまいを残し、歴史のある次の3つの街を挙げることにしている。

即ちオーストリアのザルツブルグ（歴史、美観、音楽）、ベルギーのブルージュ（古都、建築、食事）、そしてドイツのモーゼル川流域のベルンカステル（風景、建物、ワイン）である。この3つの街についてそれぞれ簡単に紹介しよう。

ザルツブルグ（Salzburg）

フランクフルトから飛行機で所要1時間。特に夏のザルツブルグ音楽祭は有名だ。2度目に訪れた折は辻馬車（Fiaker）に乗って街を観光した。旧市街では、ジークムント広場・祝祭劇場・サンクトペーター教会・ドーム。125メートルの高さから市街を見下ろすホーエンザルツブルグ城（1077年着工）には大司教の居住があり、中世の要塞として美しく保存されている。有名なのがモーツァルト（1756年生）の生家。この博物館には彼が幼少時に使ったバイオリンや楽譜（「魔笛」など）、オペラの舞台図、系図が展示されていた。新市街にはミラベル庭園、ザンクトセバスチャン墓地があり、モーツァルト家の墓もある。また、名指揮者カラヤンもこの地の出身である。

ブルージュ（Brugge）

ブリュッセル中央から高速道路で約1時間のところに在る。最初に訪れた時は予約をしていたホテルが満杯で個人のアパートを紹介された。若干不安もあったが普通の家庭にお邪魔した感じで、ご主人による焼きあがったパンにコーヒー、果物の朝食は好印象をもった。

ブルージュはフランドル地方の古都、旧市街は運河がめぐらされた水の都市である。建物は中世のゴシック様式からルネサンス様式まで中世のまま残されていると感じられる。歴史的には13世紀にハンザ同盟の一員として北方貿易の中心となりヨーロッパ最大の市場に発展したという。みどころも多く、マルクト広場、鐘楼、市庁舎、教会、寺院、グルーニング美術館、メムリンク美術館などが必見である。広場に面した中世風建物のレストランは独特の雰囲気があり、オードブル・魚料理・肉料理・デザート・チーズも満足、外れることがなかった。

ベルンカステル（Bernkastel）

前述の2つの街に比べるとマイナーでコンパクトな町である。デュッセルドルフから車でしばしば出かけたお気に入りのワイン集産地でもある。コブレンツ（フランクフルトから列車で約1時間40分）から約80キロ、モーゼル川中流南岸に位置する。

人口約6千人。木骨組みの家が多く美しい。ワイナリー見学も興奮させられる。１６００年頃建てられた市庁舎が秀逸。少し南下すると古城跡があり、ここからの展望、モーゼル川と斜面に広がるぶどう畑はコントラストが素晴らしい。

レーマー通りのワインレストランは、いつも観光客で賑わっている。最初に出会った白ワイン「ベルンカステル・キュス　ドクトル・グラーベン　ＱｂＡ」の澄んだ色、甘い芳醇に魅惑された。

爾後帰国後もベルンカステル白ワインから目が離せず継続して楽しんでいる。余談ながら道中よく立ち寄ったのがカルデンから山の中へ入ったエルツ城（１２００年頃の築城）。当時２番目の高額紙幣５００マルクの裏に印刷されており話題にしたものだ。

ミンスク（Мінск）

２００8年度の海外一人旅はモスクワ行きを計画した。ところが7月17日のモスクワは、ニコライ2世と家族６人が銃殺されて90年の「皇帝を偲ぶ」記念の日でホテルの予約ができなかった。したがって隣国ベラルーシ共和国の首都ミンスクへ立ち寄ることにした。ミンスクは人口１８０万人、ソ連崩壊後に創られたＣＩＳ（独立国家共同体）の本部が置かれている都市でもある。

当日のモスクワは雨。空港には日本人観光客も多かった。未だ明るい午後8時、ミンスク行きに乗り継いだ。所要時間1時間20分。時差1時間。小型機に乗客は百人ぐらいか。個人旅行の入出国が多くないのか偶々なのか日本人らしき人物は見られず、一人だけ残され、天眼鏡のようなレンズを使ってパスポートの全ページを入念にチェックされた。

空港は清潔。通関を終えて外に出ると机を一つ置いただけのタクシー案内所があり、若い女性が帰りかけていたところを呼び止めてドライバー手配を依頼した。街の中心地（ホテル）まで35ＵＳドルと言い、「領収書」が必要かと何度も尋ねられた。領収書を発行しなければ、控えがなく記録に残らない。悪く推測すれば案内係りとドライバーの結託かもしれないが、僕にはあまり関係がなく不要とした。空港から市内中心部まで白樺並木が美しく、広告がなく、車も少なく、お伽の国に入り込んだとまでは言わないが、清々しさに心おどる思いであった。

宿泊は4つ星「ホテル・ミンスク」。フロントデスクが見上げる場所にあり、少々戸惑いながらパスポートを預ける（義務づけられている）。後ろの壁には約20ヵ国の小旗が掲げられていたが日の丸は見あたらない。ホテルでの両替は30USドルが63，360ベラルーシ・ルーブル。ちなみに屋外のビヤーバーではビール1本とピスタチオ小袋で5，300ルーブルであった。

スヴィスラチ川（トラエツカヤ旧市街区）

翌朝は快晴。中心街を歩く。ホテルの前の道路は片側4車線、歩道の幅がほぼ同じと広く、人は少なく花が多い。ホテルからネザレーシナスツイ大通りを東へ、十月広場、国立博物館、白亜のバロック様式の教会聖霊大聖堂……。北へ向かってスヴィスラチ川が美しい。

次いでトラエツカヤ旧市街区に入り、小さな一画だが民芸品店やみやげもの屋を覗いてみる。民族衣装や人形の類が多く、テーブルクロス、リネンものが目についた。

遅い昼食に偶々入ったのが「ホテル・ヨーロッパ」のレストラン（後で読んだガイドブックによると2007

年にオープンした5つ星ホテル)。かかっている音楽がイーグルスの「ホテル・カリフォルニア」。他にお客がご婦人一人のみということもあってウェイターのディミトリィ(Mr. Dimitri)と少し会話を。この国にはビールは10種類以上あると言う。「何処から来たか?」「日本の大阪から」と答えれば、即「ガンバ大阪」と返ってきて少し驚いた。聞いてみるとパリで3年間修行をして日本人とも付き合ったと言う。世界は狭いね。

更に街を歩く。外気は21度。鉄道のミンスク駅はこぢんまりと整っており、構内も混雑していない。街にはトイレが少なく、「公衆トイレ」の料金は470ルーブル(約23円)であった。

建物は古色蒼然としていたが大きな本屋に突き当たり入ってみた。たくさんの書籍の山の中、19世紀のロシアの画家イヴァン・シーシキン(Ivan Shishkin)の「深い森」、リトグラフのコピーを見つけて購入した。緑が鮮烈である。

今回のミンスク立ち寄りは、収穫の多い旅であったと言えよう。

赤の広場(モスクワ)

◆

2021年1月7日の日本経済新聞に「ベラルーシに無関心な世界」と題して、ロシア国立高等経済学院教授のフヨードル・ルキャノフ氏が述べている。ベラルーシのルカシェンコ大統領は約26年間も権力を保持しなおも大統領の座に居座ろうとしている。政治体制は疲弊し、人々は変革を望んでいる。2020年8月に実施された大統領選は、ルカシェンコ氏が8割の得票で6選を決めたと発表。しかし、不正を訴える反体制派や市民らが街頭で大規模な抗議行動を起こした。「欧州最後の独裁者」と呼ばれている。

今回のロシアによるベラルーシ併合は非現実とされ、長期的に経済協力を進め統一経済圏を両国で形成することにある。ドイツやフランスなどEUの外交路線を決める大国の関心は総じてベラルーシの国内問題と捕らえて低いようだ。国際社会の無関心、これで良いのだろうか。

残すはカイロ（Cairo）

第8代ユネスコ事務局長・松浦晃一郎氏の『アフリカの曙光――アフリカと共に50年』に

よれば、アフリカ53ヵ国中52ヵ国を訪問したと言う（2009年8月現在）。世界には国連加盟国196の国と地域がある。世の中には途轍もない人がいてほぼすべてを訪れた人もいよう（それに近い人類学者の知人がいる）。僕が今までに訪れた国の数は80ヵ国、大都市／中小300都市ぐらいであろうか。まだまだだ。数に大きな意味があるとも思われないけれど。

文藝春秋70周年記念出版として『世界の都市の物語』全12巻が1992年に発刊された。12ヵ国とは、パリ、ニューヨーク、バルセローナ、イスタンブール、ウィーン、ロンドン、カイロ、北京、モスクワ、ローマ、ソウル、東京である。若干後付けながら全て訪問したいと希求した。1994年にソウルへ。長い空白ができたが、2008年、モスクワに出かけ、残すはカイロのみとなった。しかし2011年、北アフリカ「アラブの春」以降、エジプトも治安が安定しなかった。また、2020年からは新型コロナウイルス・パンデミック（世界的大流行）から出かけることが困難になり、いつ実現できるか判らなくなったが、一日も早くコロナの終息を願うばかりだ。いずれも文化、歴史、伝統、慣習が異なり雑学にまぶされた都市の物語は興味深いことこの上なし。旅は多くの人との出会いがあり、様々な成功、失敗の体験を繰り返し、人生にこんな面白い事はない。

第7回アフリカ開発会議（TICAD7）を通じて

―Japan・Africa Business Forum & EXPO 雑報―

日本政府が国連や世界銀行、国連開発計画（UNDP）アフリカ連合委員会（AUC）と共催し、アフリカの発展を世界全体で考えようと1993年に始めたのがアフリカ開発会議（TICAD：Tokyo International Conference on Action Development）である。

2019年8月28日～30日まで横浜で第7回TICAD7が開催され、「横浜宣言」が採択された。

会議にはアフリカ54ヵ国のうち過去最高の42ヵ国の首脳が出席した。ポイントは、

1　返済能力に配慮し財政を持続可能にする「質の高いインフラ」投資でアフリカ諸国に寄与。

2　「自由で開かれたインド太平洋」構想明記。ルールに基づく海洋秩序を維持。

3　アフリカの経済構造転換を促進。ビジネス環境を改善。

4　安全保障理事会を含む国連の組織改革に向けて決意。

5　貧困、テロ、気候変動などの課題に取り組む。

特に中国を意識した「債務のワナ」をけん制するため横浜宣言は債務の持続可能性が大事だ

TICAD 第7回　横浜

と強調して閉幕した。
この間筆者が聴講した2つのセミナー・シンポジウムと展示会場からの報告。

・主催JICA セミナー
「アイデアからアクションへ：アフリカ× 科学・技術・イノベーション（STI）」

ポウラ・I（ルワンダICT大使）等6名の発表者にスティーブン・K・S（世界銀行）のモデレーター。内容はルワンダでのエコシステムの進展や小型衛星による通信の発達、避雷器の設置など。ケニヤでの母子手帳の電子化、政府・企業・大学連携の人材育成。ザンビアでのドローンによる医薬品の輸送等。神戸情報大学院大学が「ABEイニシアチブ」により38ヵ国169人がICTを学んだ実績も報告された。標題どおり幅広い分野の現況と将来が語られた。

・主催JICA JETRO UNDPセミナー
「アフリカ・日本　スタートアップ・ピッチ：イノベーション推進&パートナー発掘」

ＳＤＧｓ（Sustainable Development Goals：持続可能な開発目標）達成に革新的解決策を有するスタートアップにアフリカ17ヵ国（企業）日本７社がピッチし、投資家や企業とのマッチングを図るためのプレゼンテーション。次々と繰り出す各国の呼びかけの分野が多数でフォローするのが大変だった。

・展示会場／展示概要

アフリカラウンジは45ヵ国とアフリカ連携６ブース（アフリカ開発銀行など）で構成。内８ヵ国のブース（セネガル、ガーナ、ナイジェリア、コンゴ民主共和国、ケニヤ、ウガンダ、ルワンダ、エチオピア）を巡回した。各ブースとも自国の自然・農業・産業などに加え投資先として有望であることをカラフルなパンフレットを使用してＰＲ。例えばケニヤでは、「なぜ今ケニヤに投資すべきなのか」。経済発展が進みＧＤＰがサブサハラアフリカで５番目に大きい。モンバサ港は東中央アフリカ地域のゲートウェイ的役割。充実した教育を受け、革新的で若い労働力が豊富。ＩＣＴ普及率が89・４％と非常に高く、M−pesa, M−Shauri 等の革新的な送金アプリが普及していると。

一方日本企業としては、コマツなど工作機械、パナソニックなど電器、トヨタ、ホンダなど自動車、味の素など食料、保健・医療、商社、金融など約１５０社が出展していた。

要はアフリカの関心は誰がではなく何が経済と社会の安定に役立つか。アフリカに選ばれる民間主導の互恵関係を日本は築くべきであろう。

〈参考〉

これまでのTICAD

Ⅰ　1993年　東京　冷戦終結後、国際社会のアフリカに対する関心を呼び戻すきっかけを創出。
Ⅱ　1998年　東京　オーナーシップとパートナーシップの重要性を強調。
Ⅲ　2003年　東京　アジア諸国を含むパートナーシップ拡大合意。人間の安全保障。
Ⅳ　2008年　横浜　フォローアップメカニズムを構築。
Ⅴ　2013年　横浜　「質の高い成長」と、官民連携による貿易・投資の促進を提唱。
Ⅵ　2016年　ナイロビ　初のアフリカ開催。質の高いインフラ投資と人材育成など、アフリカの未来への投資を発表。

各国によるアフリカ支援の枠組み

日本　：アフリカ開発会議（TICAD）
韓国　：韓・アフリカフォーラム（KAF）
インド：インド・アフリカ・フォーラム・サミット（IAFS）
中国　：中国・アフリカ協力フォーラム（FOCAC）

会場の一つであるインターコンチネンタルホテルのロビーに居ると、各国の要人、在駐日大使、関係者を見かけた。

前駐日ベナン共和国全権大使・コメンテーターのゾマホン.D.C.ルフィンと

アフリカ・Meets・関西　２０１９
―Diaspora & Peace Diaspora & Peace―

東京や横浜ではアフリカに関する様々なイベントやフォーラムが数多く開催されている。しかしながら、関西では少ない。そんな中「アフリカ・Meets・関西」（ＡＭＫ）について報告したい。

筆者は草の根活動―アフリカ子ども支援（ＮＧＯ ＳＥＳＣＯ：Send Schools to Children of the World）―に28年間関わっており、毎年アフリカンセミナー「アフリカを伝える」を企画開催し、20回を数えた。更に、パートナーであったＧＡ（Groupe Alternative）代表センダ・ルクムエナ（Dr. Senda Lukumwena）を中心に拡大発展し、第6回目が２０１９年10月19日に日本芸術会館（神戸市三宮）にて開催された。プログラムは、キッズダンスレッスン／フォーラム／ミュージックライブ／サプールファッションショー／サプールフォトセッション／ダンス&アフリカンミュージックライブパーティー／ゴスペルライブと盛りだくさんである。私がコーディネーターを担当したフォーラムから。

「アフリカの社会課題に向けたチャレンジとその解決策」

ヤノ・ディビッド（Yano David）（Japan/Ghana）

Yano David は、日本人の父とガーナ人の母の3兄弟の次男として１９８１年4月に生まれた。6歳で日本に移住し、7歳で父親の仕事の関係でフィリピンに渡る。帰国後家庭内の事情から8歳から18歳まで、孤児として日本の児童養護施設で生活をする。母がマイノリティーとして日本に馴染めずガーナに帰国するも亡くなり、やがて父も死亡。施設時代にピアノとサッカーの教育に恵まれ成長し、その後ファッション雑誌のモデルやＣＭなどテレビ出演もする。22歳で初めてガーナに帰り、カルチャーショックを受ける。「誰にも守ってもらえない子どもたちを守る大人になる」と決意し、国際協力の活動を始めた。学校建設や教育者の教育に力を注ぎ、「楽しんだ代価をチャリティーに」することを主とし、アフリカ文化を味わうイベントやチャリティーフットサル大会を開催した収益で現地に学校をつくっている。現在矢野ブラザーズとして音楽活動を継続しつつ「ジャフリカン」音楽を試作中。一方ガーナでは児童養護施設を運営する。このような自分の人生を、・何処からきたのか　・人生を考え直す　・教育が人生を変えた　・幼稚園を作った　・自立支援　・自尊心をもつこと　・スポーツイベントの開催　・大学に戻る、とスライドを使っての語りは〝笑いと涙〟の感銘深いものであった。

「サコ先生のよもやまばなし～アフリカ人留学生のニッポンおもしろ滞在記」

ウスビ・サコ（Oussouby SACKO）（Mari）

１９６６年5月マリ共和国の首都バマコで生まれる。２０１８年4月、京都精華大学学長に就任。

当日の講演内容は、・個人体験と多文化共生　・マリの基本情報　・他者と出会う　・異文化認識と文化スキマー　・移民／労働力の受け入れのつもりであったがそこに人がついてきた　・人の流入が新しい文化を創る、と続いた。特に来日初期の留学生時代からパーティーが好きで他者と出会う京都での生活。「空間人類学」をテーマに京都で各家庭の打ち水の範囲と近隣との友好度の調査や大人数が暮らすマリの中庭・共同住居のライフスタイルを探るなどの異なる環境やコミュニティと空間のリアルな関係を考察。多様な価値観を認め合う社会の在り方を提唱した。また、マリ帰国時には親族・友人

ウスビ・サコ学長講演　左端・筆者

にスーツケース何個もお土産を買わなければならないなどユーモアたっぷりに話された。
２０５０年には、世界の人口の４分の１が集中するといわれるアフリカが、世界の原動力になるのか、もしくは負担となるのか。故郷アフリカ・マリの行方にも思いを巡らせ、力強くまとめられた。

余談ながら会うのは二度目になるジプティ共和国大使のアホメド・アライタ・アリ（A. A. Ali）氏としばらく歓談した。在日5年、赴任先として7ヵ国目、日本大好きとのこと。長女がカナダ・バンクーバーに在住しデザイナーとして活躍、スマートフォンでファッションショーの写真を見せながら目を細められていた。

左・アリ大使

フィリピン一週間 ―虫の目　日記―

経済が順調なフィリピンでは、まもなく「新マニラ国際空港」の建設が始まる。そんな中、筆者は2019年11月11日から、首都マニラの南西80キロのキャビテ（Cavite）州にあるロゲイショニスト・カレッジ（RC）とフィリピン・ミッショナリー・インスティテュート（PMI）での「押しかけ授業」の実施を含め、1週間同国に滞在した。その際の「虫の目」報告をしたい。

11月11日（月） フィリピン航空（PR）407便 9:55/13:10 ニノイ（Ninoy）国際空港は相変わらずの混雑。入国審査、荷物引き取りに約1時間。曇り。31度。7度目の訪問、今回もドライバー、ブドイ（Budoy）君の出迎え。約2時間強で有名なタール火山※のカルデラ、タール湖のほとりにある避暑地・タガイタイの4つ星ホテルであるサミット・リッジ・ホテル（Summit Ridge Hotel）へ到着した。※2020年1月12日にタール火山が噴火、半径14キロ圏内の住民約4万4千人が避難した。

11月12日（火） 晴れ。朝食バイキング。韓国人、中国人が多い。RCのブラザー・エド（Bro. Edo）図書館長の出迎え。教務主任キャロル（Ms. Carol）さんと面談。寄贈図書の整理。夕刻エドさんとトライシルクで昨年宿泊したタール・ビスタ・ホテル（Taal Vista Hotel）のレストランへ。

ビールのサンミゲルライト、赤ワイン、前菜、サラダ、ナシゴレン、アイスクリームで2人分2160ペソ。空港での交換レートが2・3円なので、これで5000円弱とはお値打ち。

11月13日（水） 晴れ。9:00から講義。受講生21名（18〜24歳）は制服姿。学生のミニレポートによれば日本に好感をもち、漢字、ひらがな、カタカナに興味を示す。紹介した富士山、桜、新幹線、鳴門の渦潮が印象に残ったようだ。午後エドさんとPMIへ向かう。道中、私学への国の補助金が少なく、人口は増加しているが入学者数は前年より減って厳しいと聞く。PMIのオソリオ（Osolio）学長（51歳）は大歓迎をしてくれる。宿舎が完成しておらず、ご自分の学長室に簡易ベッドを入れて泊まらせてくれた。明日はご本人不在のため、2泊できるよう準備してくれたもの。階下にはセキュリティガードとして学生3人。トイレットペーパー6本、500mlのペットボトル8本、バナナ8本、オレンジ4個、パパイヤ（大）1個。コーヒーメーカーもある。感謝。夕食は部屋に運んでもらった鶏のスープ（ティノーラ・マノック風）とライスのみ。昨年もここで宿泊したが、休肝日ができて良い。

11月14日（木） 曇り。6:30。鐘の音3度。鳥の声。朝食は持参のカステラ2切れとバナナにコーヒー。PMI理事アーディス（Dr. O. Ardith）の母親が朝食にうどんを差し入れてくれたが、辛くて喉を通らない。10:00から講義。受講生12名。講義内容は「日本語・日本の生活」。社会人が多く熱心に聴講、質問も多く関心は日本の経済発展や文化・伝統にある。ちなみにPMIは学生数100人、職員23人の小さな宗教・芸術専門学校（併設小学校有）。

11月15日（金） 晴れ。8:00。ドライバーのヘンリー（Mr. Henry）が道案内のジョエル（Mr. Joel）と迎えにくる。マニラ近郊大渋滞。追い越しのためセンターラインを少しはみ出してMTPB（マニラ・トラフィック・パブリック・ビュウロー）に警告を受ける。「一週間以内にマニラ警察に出頭して2000ペソ支払うか、今100ペソ支払えば領収書はないがオッケーだ」と。ドライバーは不承不承支払う。PMIからかつて米軍関連産業で栄えたアンヘレスのホテルまで、元米海軍基地スービック、同空軍基地

元米海軍基地スービック

クラーク経由で240キロ程か。16:20、ワイルド・オーキッド・ホテル（Wild Orchid Hotel）着。ホテル周辺のフィールズ通りは猥雑で、老米国人、短パン娘、観光客らに身構える。

11月16日（土） 快晴。7:00。朝食レストランへ。グレイのTシャツを着た中年のアメリカ人が「Jack Daniel's」のボトルを抱えてウエイトレスに向かって大声で叫んでいる。値段で言い争っているようだ。カウンターでは坊主頭のアメリカ人にフィリピン人小娘がしな垂れかかっている。少し離れて4人組の日本人男性。ドアーボーイが、「社長さん、かわいいね、おいしいね……」と日本語で話しかけてくる。もう少しPoliteな日本語が良いよとアドバイスすれば、素直に「Yes」と答えた。ここらあたりは世界トップクラスの風俗街だけに、アンヘレスの中でも猥雑さが際立っている。私は人の「愚行権」を認める者だが……。11:00発、タクシーにてマニラに向かう。98キロ、14:15着。ザ・ヘリテージ・ホテル（The Heritage Hotel）泊。

11月17日（日） 快晴。尾籠な話題で恐縮ながら、昨朝からお腹の調子が良くない。海外旅行中ホテルのクリニックへ行くのは初体験。辞書で便秘（constipation）と浣腸（enema）を調べて行く。6:30。美人相談員・看護師さんに「昨日から便秘なのでどうしたら良いか。浣腸か何かありますか」と問えば、「9時から薬局が開くので下剤を求めては。ただし医師の診断が要り、今日は日曜日で休診です。水を1リットル飲みパイナップル、パパイヤを食べれば」とニッコリ。部屋へ戻り水を飲む。幸いホテルを出る直前に解消して事なきを得た。PR408便14:25/19:10　関西国際空港着。エキサイティングな旅になった。

アンヘレス　風俗街フィールズ・アベニュー入口

◆

世界を旅していて不思議に思うことがある。人類とは何か。ブラジルの奥地、アフリカの辺境、北欧、アジア、ヨーロッパ、アメリカ各地──何処まで行っても人は住み、生活している。生計を立てるために懸命に働き、食べて子孫を残し、やがて消えていく。

追記　旅の途上、落合直之著『フィリピン・ミンダナオ平和と開発──信頼がつなぐ平和の道程』を読む。JICAもミンダナオ国際監視団として活躍している。お薦めしたい。

２０２０年度「アフリカ・Meets・関西」と「ＮＧＯ ＳＥＳＣＯ」の活動

アフリカ・Meets・関西

東京や横浜ではアフリカに関する様々なイベントやフォーラムが多数開催されている。しかし関西では少ない。昨年に続いて２０２０年「アフリカ・Meets・関西」（ＡＭＫ）について報告する。ＡＭＫは、２０１１年からアフリカの社会課題となっている若者の自立支援をサポートする活動として、非電化地域に電気を届けるプロジェクトをスタートさせた。また、教育支援や公衆衛生を改善する取り組みもしている。「アフリカ・Meets・関西　２０２０」は9月19〜21日、神戸ハーバーランドにて開催された。実行委員長センダ・ルクムエナ（Senda Lukumwena）（建築家・神戸情報大学院大学准教授）は、「新型コロナウイルスの影響でプログラムは、例年の大型イベントから港コーナーでの縮小展示になったが、なんとか本日を迎えることができて喜ばしい」と、次いでマリ出身の京都精華大学学長ウスビ・サコ（Oussouby Sacko）先生は、「今年も『アフリカ・Meets・関西』に参加できて嬉しい。アフリカ諸国、特に南アでは、資源価格の下落など低迷していた経済に、最悪の新型コロナウイルス被害が直撃した。こうした困難を少しでも克服するため、アフリカと日本が連携して何ができるか模索しつつ取り組んでいきたい。皆さんと手を携えて……」と話した。そして、神戸商工会議所副会頭の伊藤紀美子氏の来賓挨拶が続く。最終日は「Torowaepisu Restaurant」にてサプールファッションショー／ダンスのみになったけれど。

NGO SESCO（Send Schools to Children of the World：世界の子どもたちに学校を贈ろう会）

毎年企画のアフリカサロンの今年は、新型コロナウイルス禍により、オンライン形式のパネル・ディスカッションに切り替えた。テーマは「AFTER COVID-19 〜コロナ後の世界──日本とアフリカそれぞれの視点──」とし、コロナ禍において「あえてポジティブな側面を見出すとしたら何か？」を議論した。司会は静間佳佑。パネリストは3人。

奥村恵子（パーカッショニスト・太鼓とダンスの演奏者）

コンゴ民主共和国におけるコロナの状況は、それ以前のエイズやエボラが蔓延し、治安も悪く、キンシャサを除いてマスクも売っていない。当面の援助も大切だが根本を変えない限りどうしようもない。日本のマスコミはアフリカの実態をほとんど報道していないのも問題だ。

深尾幸市（桃山学院教育大学客員教授・ＳＥＳＣＯ副理事長）

新型コロナウイルスに関し、１月30日、ＷＨＯが緊急事態宣言を発した。コロナ禍後の世界は、民主自由国家と強権的専制国家との戦いがどうなるのか。経済の落ち込みを極小にしながら、新型コロナウイルスの拡大を防ぐという難しい政策が行政府に求められる。新型コロナウイルスのアフリカでの感染者数が累計１００万人を超え、死者数は2万2千人（２０２０年8月8日付「朝日新聞」）。南アフリカ、エジプト、ナイジェリア、ガーナ、アルジェリアの5ヵ国で全体の感染者数の75％を占めている。ポジティブな側面として日本では、手洗いやマスク着用の徹底によりインフルエンザによる死者が激減した。南アフリカではロックダウンにより過去最低の犯罪発生率と半減。コロナ禍後、人は「本当の幸福とは何か」という内面に対する関心が深まる。金儲けや出世の価値観から新たな異なる幸せを目指す道もある。生き方の二極化が始まるのではないか。今日のパンデミックの克服を通して、どのような社会を建設するのか問われ、社会の分裂修復と新しい理念の下で国民の再統合が急がれる。

清寺結実子（大阪大学外国語学部2回生・アサンテ企画）

ASANTE PROJECT（アサンテ）は「ボランティアの形を学生目線でとらえ、ニーズを現地で感じ、行動すること」を理念に、２０１６年4月、上智大学に団体創立。一方、大阪大学に支部を置き連携しながらタンザニアの未就学児の教育支援を行う学生団体として活動している。このコロナ下では、タンザニアで購入したアフリカ布のハンドメイド商品やボタンピアスなどを販売し、現地とのオンライン連絡は、スワヒリ語で描いたイラストなど送信しているが渡航できないので制約は多い。

左から　半澤美紀，アズイ・アズーズ（Azy Azzauz），センダ・ルクムエナ（Senda Lukumwena），筆者

突然思い出したマルメの街

スウェーデンの都市マルメをご存じですか。２０２０年2月14日、偶々大学の図書館で「The Japan News」を読んでいたら、Travel 覧の1頁に Washington Post の Liza Weisstuch 記者の「Fresh, local and unpretentious: Exploring Malmö's culinary scene」という記事があり、運河沿いの古い建物とシナモン・ロールの写真が眼に入った。突然30年前に訪れた時のことを思い出した。懐かしい。

マルメは、スウェーデン最南部のスコーネ地方にある都市（北緯55度35分、東経13度02分）。ストックホルムやヨーテボリに次いで3番目の人口を有するスカンジナビアの大都市の一つで、マルメ自治体とスコーネ県の行政的な中心地である。人口約30万人（２０１２年）。歴史的には、１４３４年、新しい城壁が街の南の砂浜に造られた。この城壁は今もマルメヒュースとして知られる。１８４０年にコックムスの造船所が設立され、世界でも最大規模の造船所の一つになった。１９８６年に造船が終わると、政治家や庶民の間で将来性を失い、人口は、一時

23万人（1985年）に低下した。マルメの気候は海洋性気候で高緯度に位置していることから、夏は暖かく平均最高気温は20～21度、最低気温11～13度。冬期は寒く、気温はマイナス3～4度程度である。

訪問当時は、西ドイツ・デユッセルドルフの繊維会社駐在員として、コペンハーゲンでの仕事を終えてから小型高速船に乗ってマルメ港へ渡り、一泊した。高速船の波飛沫とエンジンの爆音に興奮したことだけは確かだ。もう記憶に残っているのは次の3つぐらいである。静かで美しい街並みとゴシック様式のマルメ市庁舎、そして偶々街で出会った男性日本人留学生との立ち話ぐらいか。何を話したか忘れたが、何故マルメ大学へ来たかは訊ねたと思う。彼はその後どのような人生を送っただろうか。

ちなみに、2007年にマルメはアメリカのオンラインマガジングリストの「15の緑の都市」で4位にランク入りした。

ニジェールの旅

―陸路国境越え初体験―

ナイジェリア・カドナの繊維工場に駐在していた1981年4月、イースターホリディを利用して隣国ニジェールへ出かけた。スペアータイヤ2本、ガソリン、エンジンオイル各1缶に食料（ミネラルウォーター、ビスケット、おかき、缶詰）とシェルトックス（蚊ヨケ）。関所トラブル対策用に鼻薬、アレワ紡績のアフリカンプリント。ルートは、カドナ、カノ、バブラ、マコキヤ、サンデール往復約1500キロの車による旅。ナイジェリア側国境バブラでは、物乞いの多いこと。車が止まった途端10人ほどが寄ってくる。国境では、銃を持つ警察官が暇なのか時間をかけて丁寧に車番、車種、持ち主の証明をはじめトランク、カバンを調べる。イミグレーション（入管）は、予想どおりカドナへ帰った方がよいと難癖。持参のアフリカンプリント1反をプレゼントすれば二ッコリ笑って「OK」。カスタムス（税関）も時間をかけて質問するが耐えるしかない。ちなみにナイジェリア側ボーダーまでに2回、ボーダー内で2回、ニジェール側も同じく通算4回、計8回のチェック。国境越えは大きなドラム缶2本の間に縄が張ってあり、それをボーイが降ろすだけであっけないものだった。

ニジェールの風景は半砂漠。平地に灌木、ラクダが20頭ほど見え対向車もなく我が車だけが疾走する。目的地のサンデールまで100キロほど。ダマガラホテルの受付でチェックインに2時間半。案内されたのが薄暗い部屋にダブルベッドが一つ。再交渉。「アレワビューティ」を1反プレゼントし1時間粘り別棟の冷房完備整った部屋が出てきた。銀行は休暇で休み。ホテルは両替をしてくれず、ニジェール人に尋ねると闇交換する人を紹介され、100フランシェーファーを4ナイラ（約1600円）でと言われたが、2割値切って交渉成立。物の値段はナイジェリアより2割ほど高い。ホテルで知り合ったニジェール人とマーケットへアフリカンプリントの市場調査に出かける。オランダやアイボリーコーストからの輸入品が多い。夜はホテルのバーでビールを飲みながらニジェール人相手に会話を交わす。が、こちらはフランス語が話せないし、相手は英語が話せないのでボディーランゲージ。隣のディスコ室ではフランス人が踊っていた。あれだけ苦労した往路に対して、帰路の順調なこと。ニジェール側では、〝ボンジュール〟〝サバー〟〝メルシー〟を連発すればポリスも握手を求めてくるし、ナイジェリア側では〝サヌー〟〝ヤヤアイキ〟〝ナゴデ〟と習いたてのハウサ語を使えばイミグレーションも問題なく通過できた（缶ビールのハイネケンを少々買い込んでいたので心配したが）。何かで読んだ中に「冒険が個人のものであるのに対して、探検は一種の社会的事業である」と。ささやかな経験は冒険の一部ながら「見たい、知りたい、伝えたい」誰かに報告したいものである。8回にわたるポリスチェックとカスタムスとイミグレーションの通過に忍耐とわずらわしさを楽しんでこそ達成感のある旅となる。

ニジェールへ一直線　デザイナーのアブデュラヒ（Alhaji Abdullahi）と

サンデールのローカルマーケット

ナイジェリアからの手紙

現代はSNS時代でメールのやり取りは欠かせない。が、僕は現在も手紙が好きで週に何通かは知人友人へ書いている。さすがに今はモンブランの万年筆で書くことはめったになくPCの効率良さに甘んじてコピペが多いけれど。

さて、古い話ながら1980年代紡績会社の駐在員としてナイジェリアに住んでいた3年間を振り返ってみたい。この間231通の手紙を自宅の妻宛てに書いた（もちろん業務上の報告書、両親、親族、友人などへも多数書いたが）。メール、ファックスもなく、電話も通じて数時間待ちの時代である（例えば、日本と株主総会の打ち合わせのため当時の首都ラゴスまでカドナから1200キロを車で11時間かけて出張したことも）。

3年間の駐在中2回のリーブ（一時帰国）と1回の日本出張をした。現地で服用しているマラリア予防薬は副作用が強いため一時中断し、健康管理の側面からリーブの制度が設けられていた。

1980年10月30日　第1報。

「冠省　10月26日予定通り安着。元気です。その足でダーバーホテルへ日本大使歓送に直行。昼も夜も工場長、加工部長宅にて小生の歓迎会。翌月曜日から社内の挨拶（一度に何人もの現地マネージャーに会い判別できない)。病院、郵便局、銀行、小学校・・・訪問。組合執行部との会談と続く。あるいは日系企業の千代田化工建設、積水エスロンなどへ着任の挨拶。現在石井社長が日本へ出張中のためいきなり忙殺。ただ過去に2度訪問していたので、現地人からは『Welcome sir !』でスムースにスタートし適任者の一人と自信を持って出来そうだ。ご安心下さい(無理はしません)。スチュワードが洗濯、ベッドメイキング、食器洗い、靴磨き・・・とやるし、食事もまずまず。庭にはブーゲンビリアなどが咲き朝晩は涼しく、寮から届けられる朝には会社の専属ドライバーが迎えに来てくれる。先ずは第一報、当方の様子のみ。　草々」

こうして始まったナイジェリア生活の3年間は実に様々な体験をし、少々危険な場面にも遭遇したが以下に述べる生活記録を週末の午前の時間を充てて家族に伝えた。副社長の立場から業務内容は多岐にわたり、総務、人事、財務、生産会議、役員会、株主総会など思い出は多い。休日には外食や旅にもよく出かけた。外貨送金制限のため給与の半分は国内で消費しなければならず食料以外買う物がない。

・首都ラゴスの中央銀行へ出向き、配当金・給与の日本への送金督促に毎月の如く出張した
・銀行に現金がなく給料日に払えず、従業員に投石されて、日本人は社長宅に待機する中その対策に奮闘した
・同僚の交通違反に自宅で警官にコーラをサービスしつつ交渉、罰金を半額にした

・秘密警察署長とブラック・メール（日本人排斥）の対応にお土産持参で協議した
・日本からの郵便物が確実に届くよう郵便局長を時々自宅に招き便宜を図ってもらった
・アレワ紡績社長への脅迫状に対し、警察と連絡を取りながら数日間行動を共にした
・ナイジェリア産綿花の不足から急遽買い付けに陸路隣国カメルーンへ出張した
・入出国の際、８回のチェックを受けながら陸路国境を越えてニジェールはサンデールへ旅した
・クリスマス休暇を利用して、往復約２５００キロの長距離、チャド湖を禿鷹の大群に遭いながら探訪した
・北部ソコトのフィッシング・フェスティバル、何百人が同時に河に入り魚の手づかみ競技を見学した

1983 年　アレワ紡績創立 20 周年記念　於　ダーバーホテル (Durbar Hotel)
左から　北部ナイジェリア投資会社会長 Dr. Yahaya, 筆者, ナイジェリア中央銀行総裁 Alhaji Zayardo, アレワ紡績社長 石井修三, アレワ紡績 GM Alhaji Gidado, アレワ紡績取締役 Alhaji Abdulkadir

・ゴルフ大会、テニス大会、運動会、麻雀大会など在日本人職員の慰安行事を継続した

・健康管理、風邪、マラリア、風土病、下痢の病気に現地病院施設の貧弱さの見聞

更にナイジェリアの面積は日本の約2・5倍あり、当時19州（現在は38州）あったが公私併せて全州へ行きジェネラルマネージャーのギダドに「Mr. FUKAO is an espionage」と揶揄（からか）われていた。自室の壁にナイジェリア全図を貼り、走った道路の赤塗。カノー国際空港での入出国の酷さ、検査荷物の取り合い。ダッシュ（チップ）の要求。40度を超す雨季、砂埃の乾季の気候の厳しさ。民政移管シャガリ政権、原油依存経済、物価上昇、不法入国外国人追放。カドナTVの放映は日に数時間。アレワ紡績のGMギダド、アチムグ、秘書シェフ、オシヌシ、会計ラテーフ、運転手ツンデ。自宅に現地人マネージャーを集めて教室。新都市建設中近郊アブジャのエミア（王様）と度々の面談。英会話のP・ショウ先生、A・シェプター先生、中央銀行総裁A・ザヤード、在パリチャド人M・ガリ教授と会食、ミュージシャンのツインセブンセブン宅訪問。St.G. ホスピタルのシスター、ラファエロ（アイルランド人）と懇意。ナイジェリア文学、イフェの伝統祭、ヨルバ族の土器について。奴隷島、ラゴスの大渋滞に子どもの物売り。イボ族によるビアフラ戦争跡地を訪ね弾痕の残る家屋見学。ハウサ語、ザリア大学、イバダン大学のこと。アフリカンプリントを生産する同業UNTL,KTLの香港人、オランダ人たちとの付き合い。スーパーマーケットのオーナーやレストラン経営者レバノン人、インド人、香港人との交流。生活面では、庭にマンゴーの木、枝にカメレオン。マラリア対策に蚊帳を吊り、天井に

はヤモリ。水道水は砂混じり、バスの底に5ミリは溜る。飲料水はスタービールとコカ・コーラ。年中あるのはオレンジ、ヤムイモ。夜窓に群がる羽蟻を食す。頻繁に起こるノーネパ（停電）。夜空に浮かぶ南十字星。ビールの空瓶探し、スマグルグッズ（密輸品）の高級ウイスキー・ワインの買い出し。ローカルマーケットへ行けばストリートチルドレンに囲まれて金銭を乞われ、稀にはスタジアム、鉄道駅、映画館、図書館へ出かけたことなどを克明に手紙に書いている。

斯くして1983年9月20日、現地を離任した。幸運にも交通事故、泥棒の被害にも遭わず、マラリアにも罹らずに。

15th September, 1983

Dear Sir,

It is my pleasure to inform you that after about 3 years stay in Nigeria as Assistant to Managing Director of Arewa Textiles Limited. I have been reposted to our parent Company, Unitika of Osaka, Japan. I am scheduled to leave Nigeria around the next week of September, 1983.

I wish to thank you for your kind co-operation during my memorable stay in Nigeria and strongly hope that the friendship developed over the years would be sustained in the years ahead.

While wishing you the best of luck in your future endeavours, I remain.

Yours Faithfull,

Koichi FUKAO
Asst. to Managing Director

帰国時の挨拶状

アフリカ文化研究者白石顕二と『アミルカル・カブラル――アフリカ革命のアウラ』と

ナイジェリア駐在時代に読んだ『ザンジバルの娘子軍（からゆきさん）』の寸評を契機に白石顕二氏と25年間交流した。読後現地から白石さんに送った最初の手紙のコピー（1981年11月29日付）が残っている。

「拝啓　日本は寒気いよいよ厳しさを増していると思いますがご健勝のことと存じます。さて、失礼とは存じますが『ザンジバルの娘子軍』を読み終え、久々に充実感を覚えて筆を執った一読者の感想をご覧願えれば幸甚です。僕の好きな言葉に『一期一会』が在りますが貴書に出て来るスワヒリ格言、『山と山は出会わないが人と人は出会う』もまた素晴らしい言葉です。一人の日本人女性が何とも哀愁を帯びた人生を克明に追跡しながら全く興味本位でなく、こうまで暖かい思いやりで貫かれた文章には胸を締め付けられると共にザンジバルの光景を彷彿させてくれます。（以下略）…　敬具」。白石さんの返信（1982年1月13日付）。「お手紙本当に有難うございました。今ザンジバルに来ております。1月1日に到着してから、かれこれ一週間ほど島内めぐり歩いています。（中略）このザンジバルは大陸側に比べて住みやすく人々の気質も広く非常になじみやすく思われます。またのお便りを楽しみにしております。ザンジバルにて　白石顕二」。こうして長い文通と後年の懇談の交流が始まった。何時かザンジバルへは訪問したいと願いながら。

訪れたのは2015年9月、ダルエスサラームのフェリー乗り場から快速船で2時間30分（45USドル）。ザンジバル島のストーンタウンへ。旅客ターミナルに入国・税関審査があるのには驚いた。世界遺産に指定され多くの名所（大聖堂、驚嘆の家、博物館など）があり青い海と空、豊かな緑に恵まれた美しい島である。

1894年にはすでに天草出身の日本人女性が「娘子軍」として働き〝職場〟は二種類、〝酒場〟と〝珈琲店〟。例えば1903年には居酒屋（業態）に醜業婦（当時の呼称）10人が外人妾・居酒屋女将として住んでいた。主人公おまきさんが、東アフリカの小島・ザンジバルで20世紀初めに〝生〟を営んでいた物語である。彼女はシップ・チャンドラーとして働き、520番のナンバーの店は雑貨店として今も残っている。1959（昭和34）年7月、70歳のおまきさんは半世紀の海外生活から帰国した。1966年没。訪問時のストーンタウン日曜日の朝、狭い路地にあどけない子どもたち、午後には洒落たレストランや土産物店に各国からの陽気な観光客が溢れていた。（＊1）

2019年7月26日、白石氏夫人の富美子さんから多摩美術大学美術館白石顕二アフリカコレクション「エターナル・アフリカ／森と都市と革命――アミルカル・カブラルの革命思想とジョージ・リランガの芸術――」の招待状と石塚正英編『アミルカル・カブラル――アフリカ革命のアウラ』をいただき、早速出かけた。当日は白石さんとリランガをはじめとする数多くのコレクションを観ると共に石塚氏にも面談し、多くのことを教えていただいた。

カブラルは１９５０年代から旧ポルトガル領ギニアビサウの独立運動に身をささげたカーボベルテ出身の農業技術者。１９７４年の独立前年に隣国のギニアの首都・コナクリで暗殺された「建国の英雄」である。本書（＊２）はカブラルの変革の思想の内実を文化の側面から追い続けている石塚正英の編により、今は亡きアフリカ文化研究者白石顕二との共著で、両者の対談や論文も収めた論説集である。

目次は次のとおりに構成されている。

序章　アミルカル・カブラルと現代／1　カブラルとアフリカ革命／2「プロムナード討論」アミルカル・カブラルのアフリカ革命論／3　カブラルのデクラッセ論とギニアビサウの現実／4　カブラルのプチ・ブルジョア論とアフリカ文化／5「精神の再アフリカ化」を求める抵抗の諸形態／6　母権と無政府――アフリカ平等主義を考える／7　ウジャマァ社会主義とクリエンテス資本主義　／補章　アフリカ文化とクレオリゼーション，アフリカ直射思考

（石塚氏は「アミルカル・カブラル協会」を設立し『アミルカル・カブラル　抵抗と創造』の編集・刊行に力を注いでいる。）

こんにちのギニアビサウは大西洋に面する最貧国で、産業も皆無に近く、南米産コカインの欧州向け中継基地、最大の輸出品はインド向けの未加工のカシューナッツである。この国の独立運動にカブラルが取り組んだ政治・経済・文化による抵抗、武装による抵抗が詳述されている。ゲリラは銃を持った行商人として農民のニーズに答えて「解放区」を拡大していった。が、この戦略は新しい国家像として実現せず、歴史の形成過程で考えだされ、討論しあった思想や文化の豊かさとして次世代に繋がると考えることが大切であろう。共著者白石顕二もアフリカにとっての真の独立はいまだならずという立場から、カブラルがなぜ農民を動かす文化運動として「解放」をめざそうとしたかを現場感覚で解き明かしていく。同氏はカブラル思想のはらむ先駆性に早くから注目していたアフリカ研究者であった。と同時に日本にアフリカの音楽、アート、現代アフリカ映画の作品を精力的に紹介してきた文化活動実践家でもあったことも付記しておきたい。白石さんには、お会いするたび刺激的な教示をいただいた。会者定離。

＊1　深尾幸市著『私のアフリカ、私の旅』（竹林館　２０１８年）より「ザンジバル島で白石顕二さんを思う」を抜粋修正した。

＊2　石塚正英編石塚正英・白石顕二共著『アミルカル・カブラル ―アフリカ革命のアウラ』（拓殖書房新社　２０１９年）

記憶の怪しい世界七大バー

ついでにもうすっかり記憶が薄れ、切り抜きも紛失してしまったが、1970年代の「The New Yorker」に載っていた「世界七大バー」という小さな記事が現在も気になっている。

①ロンドン「サヴォイ ホテル」②パリ「ホテル リッツ パリ」③シンガポール「ラッフルズ ホテル」④香港「インターコンチネンタル 香港」⑤バンコック「マンダリン オリエンタル バンコク」⑥ハバナ「ラ・フロリディータ」⑦ニューヨーク「アストリア ホテル」

1980年代のドイツ駐在時代やその後の海外一人旅で立ち寄っているが、未だ訪ねていないのがアストリアホテル。行かなきゃ。というわけで2017年3月、シカゴ、ワシントンDC、ニューヨーク駆け足一人旅の最終にアストリアホテルへ出かけたが、改修中により空振りに終わった。宿題が残っている。

Chapter II

評論・エッセイ

信田敏宏・白川千尋・宇田川妙子 編

『グローバル支援の人類学 ― 変貌するNGO・市民活動の現場から』

（昭和堂　2017年）

『『グローバル支援』とは、単にグローバルに展開する支援活動を意味するだけでなく、貧困削減、環境保全、疾病対策、教育、先住民の権利、災害支援など、普遍的でグローバルに受け入れられている課題や価値に基づき、主として人々のエンパワーメントをめざす支援活動を意味している」という考え方を共有した研究者15人がそれぞれの観点から考察した成果を信田敏宏（国立民族博物館教授）、白川千尋（大阪大学大学院人間科学研究科教授）、宇田川妙子（国立民族博物館准教授）の3氏がまとめた興味深い労作である。

本文は3部14章から構成されている。

序論　グローバル支援の人類学

第Ⅰ部　グローバル支援への視座

第1章　グローバル支援の歴史的位置づけ――「開発援助」の生成と変容（加藤剛）
第2章　グローバルな互酬を構想する（鈴木紀）
第3章　市民社会と協同組合――フィリピンとセネガルの農村アソシエーション（三浦敦）
第4章　NGOの人類学は何をめざすのか――民族誌アプローチとアナーキスト人類学の動向（福武慎太郎）

第Ⅱ部　アクターの多層性

第5章　関わりの継続性――日本の国際協力NGOと社会的問題（白川千尋）
第6章　参加するのは私たち――学生たちが国際ボランティアに参加する動機と意義（杉田映理）
第7章　古着がつむぐ国際協力――パキスタンの学校を支える日本のNGO（子島進）
第8章　「まなびあい」から気づく当事者性――インドネシアと日本の農山村をつなぐ試み（増田和也）
第9章　知的負債の返済は可能か――タイ先住民NGOワーカーと人類学者（綾部真雄）

第Ⅲ部　新たな関係性の構築

第10章　なぜ持続しないのか――ソロモン諸島における開発NGOの実践と矛盾（関根久雄）
第11章　市場を変える、地域から変える――イタリアの社会的共同組合の模索（宇田川妙子）
第12章　核と向き合う地域社会――韓国の放射性廃棄物処理場建設反対運動（渡邊登）

第13章　宗教を越えたＮＧＯの協働――タイ南部インド洋津波被災地における支援活動（小河久志）
第14章　農民からグローバル市民へ？――フランスにおける農民支援アソシエーションの事例から（中川理）

それでは各章を少し詳しく見てみよう。

序論においては、「約20万年前に誕生した現生人類（ホモ・サピエンス）は、世界中に拡散し、戦争や競争の時代を生きながらも、協力や助け合い、分かち合い（シェアリング）によって現在まで生き延びてきた。人類が何とか生き残ってこられたのは、（中略）お互いに協力し、助け合い、分かち合おうという精神、心を持ち続けてきたからではないだろうか。（中略）近年、人類がその進化の過程で受け継いできた『協力行動（利他的行動）』や『分かち合い』への注目が集まっている」とある。

第1章：「開発」概念の国際化の契機から始まる。１９４５年10月に設立された国際連合の支援、１９４８年に開始されたマーシャル・プランの継続、北大西洋条約機構の結成、これに続くポイント・フォー・プログラムとして発表されたのが、「低開発地域（underdeveloped areas）であった。

第2章：支援とは「遭遇であり、その遭遇のなかで、相互性と意図的行為の関係性が相互作用を通じて継続的に再定義される」。経済史家ポランニーの理論的洞察が参考になると寄り添った議論を続ける。経済を分類する際に、互酬・再分配・交換の三類型を提唱した。贈与としてのNGOのなかでスティラットとヘンケルの警告として、贈与としてのNGO支援は、複数の媒介者を経て、慈善から支配へと性質を変える。もう一つの論点は、NGOの支援が支援者から受益者への一方的な贈与であるという前提を批判し、NGO受益者からNGO支援者への反対給付を想定すべきだという主張である。(P.69)

第3章：市民社会の一翼を担っている共同組合について、フィリピン（ボホール州）とセネガル（ティエス州）の状況を分析することで、非ヨーロッパ社会での市民社会概念を検討している。

第4章：民族誌を手法とする人類学が開発援助や人権の分野において一定の批判理論としての役割を果たし、支援の現場の民族誌アプローチが今後も重要である。同時に人類学的主題とアナーキズムを関係づける近年の試みが、単なる支配的な価値への批判にとどまり、対抗的価値となりうる可能性を持っていることを指摘している。(P.118)

第5章：NGOには、「拡大型」と「限定型」があり支援者が短期間で変わることにより被支援者の側にもたらされる問題に、個々の支援者が一層センシティブになることが問題の打開に不可欠ではないのかと指摘している。

第6章：学生の国際協力活動への参加は、文化人類学の重要概念である互恵とグローバル支援へ。現地の人々と、「同じ目線」で共に考え協働し、学生が「将来役に立てるようになりたい」と時間をかけて返礼して互恵性は、人と人との相互恩義を深め、地域間の結びつきが強化されると示唆する。

第7章：パキスタン・カラーチーのスラムにある学校を支援する千葉のNGO「日本ファイバーリサイクル連帯協議会」（JFSA）が、古着ビジネスを通じて国際協力を行うユニークな活動を取り上げている。パキスタン側はアルカイール・アカデミー（AKA：六つの学校、生徒数は総計3500名）。中心人物の西村光夫の半生と共に興味深い。

第8章：インドでのコミュニティづくりの活動に関わってきた長畑誠とインドネシアの村落自治について研究する島上宗子が「あいあいネット」を立ち上げた物語である。「まなびあい」・「いりあい交流」（林野資源の利用を共同で利用・管理する）がインドネシアの地域づくりや行政との協働を進める取り組みを紹介している。

第9章：タイ北部山地の一集団であるリスの研究者がIMPECT（タイ国山地民教育・文化協会）と関わり、先住民の自立と権利の研究報告を行った。著者が負っている知的負債の返済。(P.242)「知ること」が「返すこと」へ優越しているにもかかわらず後者に重きを置く視点に賛同したい。

第10章：ソロモン諸島で有機農業普及活動を進める日本のNGOの活動を取り上げている。エスニック・テンションと呼ばれる首都のあるソロモン諸島のガダルカナル島での農村開発活動の展開である。自然循環型農法を指導する研修センター（PCC）の運営業務が後日進まず政府の管轄のもとにおかれる農業訓練センター（ＲＴＣ）へ移行した経緯とＮＧＯが自らの「解体」を視野に入れたビジネス化を明確に追及することも見逃せない視点である。

第11章：イタリアの市民活動は後進的にみられているが、社会的共同組合の活動を通じて可能性を問う。１９９１年に制定された「地域社会の人道的発展と市民の社会統合」を推進。アルコール中毒者、受刑者などさまざまな社会的弱者、不利者とよばれる人たちへの対応。この活動のモデルとして、トレント県のアルピ（ＡＬＰＩ）という社会協働組合の事例、不利者たちの職業訓練を挙げている。（P.277）

第12章：「核」と持続可能な地域社会というテーマを取り上げ、放射性廃棄物処理場健設計画をめぐる韓国､全羅北道扶安郡の「放廃場」問題である。金ジョンギュ氏の言う「放廃場」建設という「迷惑施設」を過疎化に悩む周縁地域に「地域振興」と交換に地方に犠牲を強いる構図は日本と同じ。住民自治を具現化する人々の営為への「支援」は、この構図を描き出し提示することを通じてのみ果たされると主張している。（P.315）

第13章：タイ南部のインド洋津波被災地の異なる宗教を基盤とするイスラム系ＮＧＯのタブリーギー・ジャマーアト（ＴＪ）とキリスト系ＮＧＯのワールド・ビジョン（ＷＶ）を取り上げ、支援活動の内容や住民対応、被災地域に与えた影響の実態を描き分析する。ＷＶの支援活動も住民に受け入れられ、宗教の違いが津波前と比べると意識されなくなった。

第14章：フランスで21世紀に広まった「農民的農業維持のためのアソシエーション」（ＡＭＡ

P）の起源、展開、政治的行為としての消費などの報告。市場を否定して互酬的な連帯をつくろうとするAMAPの考え方は難しいと結論づけている。

なお、本文とは関係がないが、写真が全部で13枚掲載されているが評者には印象が薄かった。

本書は全体を通じて各国・各地の現場における動きが、それぞれの事情や背景も異なり、互いにばらばらのように見える。しかし「あとがき」に記されているように「グローバル支援」という言葉で共通の議論を組上に載せるならば、いずれも人々のグローバルな価値の模索として、新たな世界観・社会観の構想の試みとしても浮かび上がる。人類学（者）もグローバル化する世界の一員であることに気づくならば、重要な役割・貢献の一つという位置づけになるだろう（P.364）。グローバル化する世界の中、さらなる研鑽を大いに期待したい。一方、NGOに関心のある多くの方々に少々長文とはいえ、読んでいただきたいと呼びかけたい。

アフリカと国際協力NGO活動

――アジスアベバ・ナイロビ・キンシャサの事例を中心に――

はじめに

筆者は1980年から3年間、西アフリカのナイジェリア・カドナに駐在し、それを契機にアフリカに関心をもつようになった。

近年のアフリカ諸国は、人口爆発、資源開発、地域紛争などに加え、経済成長著しく、AI導入や携帯電話の普及などが急激に変化し隔世の感がある。しかしながら、一般的には依然として飢餓に苦しむ子ども、難民、内戦、HIV/エイズが課題のように捉えられている。これがアフリカの現実とはいえ、断面的に捉えて哀れみや恐怖、好奇心の目を向けるだけでは多様なアフリカの姿は見えてこない。アフリカ大陸には54ヵ国[1]があり、2,500以上の民族が国境を越えて混在している。国によって、一国の中でも地域により文化・宗教が異なり発展の度合いも治安も異なる。とりわけ2005年のグレンイーグルズ・サミットでアフリカ支援が世界の安定に繋がると議論されてから15年。一方、日本の主導するアフリカ開発会議（TIC

ＡＤプロセス)[2]は、１９９３年に東京において採択されて以来約30年、アフリカ支援は経済支援のほか国際協力ＮＧＯも重視されてきた。

本論では「ＮＧＯとは何か」、日本におけるＮＧＯ活動の内容・現況を簡略に整理し、アフリカにかかわる日本のＮＧＯの国際的役割について考察することを目的とする。また筆者の現地訪問（エチオピア・アジスアベバ、ケニア・ナイロビ、コンゴ民主共和国・キンシャサ）の取材・フィールドワークを報告する。さらにアフリカの子ども支援をする草の根ＮＧＯ ＳＥＳＣＯ[3]およびＧＡ[4]の活動30年に言及する。

1　NGOとは何か

ＮＧＯとは、Non-governmental Organizations（非政府組織）の頭文字をとったものである。「国連憲章第71条では、経済社会理事会は、その権限内にある事項に関係のある民間団体と協議するために、適当な取り決めを行うことができる」としている（重田，２００５，P.16)。その民間団体を表す言葉としてＮＧＯは用いられ始めた。ＮＧＯを構成する要素としては、政府に属さない組織であること。非営利であること。獲得した収益を組織の出資者に分配してはならないという3点を挙げることができよう。良く使われるＮＰＯ（Non-profit Organization：非営利組織）とＮＧＯの違いは、通常便宜的にＮＧＯを国際的に活動する組織、ＮＰＯを国内的に活動する組織と使い分けているが、どちらも非政府・非営利組織であることに違いはない。ＮＧＯは、個人の自発的な参加と支援によって運営される組織であり、動員・勧誘・強制による参加や支援によって運営される組織はＮＧＯとは言えない。

活動形態で見ると、次の7項目に分類できる。①人材派遣：教育、農業、保健医療、地域振興などの分野で、現地に人材を派遣する団体　②カウンターパート支援：現地のＮＧＯや福祉団体などに資金提供・物資供給をする団体　③国内研修：海外から人を招き研修や交流をする団体　④在日・滞在外国人の支援：日本国内にいる外国人に対して、教育・医療・福祉などのサービスを提供する団体　⑤アドボカシー：各国で起きている問題の情勢を収集し、政府や企業に提言を行う団体　⑥開発協力・国際理解協力：日本国内の学校教育や社会教育の中で、開発、環境、人権などの問題に取り組む団体　⑦ネットワーク：上記のような活動を行う団体内の連絡調整やネットワーキングを行う団体である（深尾，２００４，P.100-101）。

国際協力ＮＧＯセンターが発行している「ＮＧＯデータブック２０１６」によると、現在日本のＮＧＯは約４３０ある。団体の規模は、１人で事務局を担う小規模な団体から国内外にスタッフを抱える大規模な団体まで多様である。資金規模で見ると、日本のすべてのＮＧＯの年間活動資金の総計は約２７５億円で、最も多いのが１，０００万円未満（32％）であり、１億円以上（18％）の団体との二極化が見られる。資金10億円以上を動かす団体が10団体ある（ＪＡＮＩＣ，２０１６）。会員制度としては、設立趣旨や活動内容に賛同する個人や法人の存在は不可欠であり、ＮＧＯ団体の9割以上は会員制度を有し、正会員、賛助会員、法人会員、学生会員、事務局スタッフなどで構成されている。意思決定機関としては「理事会と総会」で構成され、代表者・役職員はＮＧＯ・ＮＰＯ職員、企業従事者、大学教員、退職者、牧師・僧侶が多い。

２　ＮＧＯをめぐる近年の状況

日本のＮＧＯをめぐる近年の動向としては「ＭＤＧｓ[5]からＳＤＧｓ[6]へのシフト」「武力紛争による人道支援の拡大」「東日本大震災を契機とした国内災害支援の展開」があり、より効果的に成果を最大化するための「他セクターとの連携の一層の推進」が志向される。２０００年から15年間推進された「ＭＤＧｓ」(Millennium Development Goals：ミレニアム開発目標）は、一定の成果とともに課題も残したが、続いて「ＳＤＧｓ」(Sustainable Development Goals：持続可能な開発目標）が２０１５年9月に「国連持続可能な開発サミット」で採択された。その内容は17の目標と１６９のターゲットからなり、２０３０年までに貧困や飢餓、エネルギー、気候変動、平和的社会など、持続可能な開発のための諸目標をグローバルに達成するためには、多様なセクターが連携して力を発揮することが必要であり、ＮＧＯは大きな役割を担うべき存在とされる。日本のＮＧＯは、「ＳＤＧｓ」の目標やターゲットの中で自団体のミッションや活動内容と合致するものを把握し、常に「ＳＤＧｓ」の達成状況を意識しながら活動を進めていくことが期待される。

3　アフリカにかかわる日本のＮＧＯ活動

アフリカには依然として貧困削減、平和構築、ＭＤＧｓ後のＳＤＧｓなど取り組むべき課題は多い。このようなアフリカ大陸に対して日本の国際協力ＮＧＯがどのように関わっているのか、活動状況について見てみよう。『アフリカで活動する日本のＮＧＯデータベース』（ＡＪＦ，２０１８）によれば１２８団体ある（表１／本書90頁）。ただし本稿では、休眠を除き１２０団体を対象とした分析である。

「アフリカで活動する日本のＮＧＯデータベース」（ＡＪＦ，２０１８）による活動国／活動地域・活動分野を図１・２（本書91頁）にした。ひとつの団体が複数の事業を複合的に展開しているのでＮＧＯ団体数は１２０あるが、グラフの数値は、複数回答であるため有効回答数１７０となる。

図２のグラフの数値も、複数回答であるため有効回答数４２４となる。

日本のＮＧＯ団体の対アフリカ国別活動は、図１に見られるように対象国名を特定しないアフリカ全般が38団体、ケニア26、ウガンダ12、の順になっている。その他2団体が活動しているのはソマリア、ニジェール、コートジボワール、ジンバブエ、セネガル、ナイジェリア、南スーダン、モザンビーク。1団体が活動しているのはギニア、ギニアビサウ、シェラレオネ、チャド、マダガスカル、中央アフリカ、チュニジア、モロッコ、西サハラ、ベナン、マラウイ、モーリタニア、リビア、リベリア、ジブチ、コモロ、セイシェル、ブルジン、モーリシャスである。

表1　アフリカで活動する日本の団体名称（AJF, 2018を基に筆者作成）

アイキャン　ICA文化事業協会　アイセック一ツ橋大学委員会　AYINA　アクセプト・インターナショナル　アジア・アフリカ国際奉仕財団　アジア・アフリカと共に歩む会　アジア学院　アジアとアフリカをつなぐ会　あしなが育英会　アデオジャパン　ADRA Japan　アフリカ協会　アフリカこどもの本プロジェクト　アフリカ支援アサンテナゴヤ　アフリカ女性・子供を守る友の会　アフリカ地域開発市民の会　アフリカと神戸俊平友の会　アフリカ友の会　アフリカ日本協議会　アフリカ平和再建委員会　アフリカ理解プロジェクト　African JAG Project アフリック・アフリカ　AfriMedico　AMDA　AMDA社会開発機構　アムネスティ・インターナショナル日本　ウォーターエイドジャパン　ウーマンズフォーラム魚　エイズ孤児支援NGO・PLAS　ACE　エスペランサ　NGOセスコ　NGO日本アフリカ国際開発　えひめグローバルネットワーク　FGM廃絶を支援する女たちの会　オックスファム・ジャパン　　キ・アフリカ　Class for Everyone　グリン―ピース　ケア・インターナショナル・ジャパン　結核予防会　ケニアの未来　国際医学生連盟日本　国際環境NGO Foe Japan　国境なき医師団日本　国際難民支援団体　コンサベーション・インターナショナル・ジャパン　サイディア・フラハを支える会　在日ウガンダ人の会　ササカワ・アフリカ財団　SAPESI-Japan　サヘルの森　JHP学校を作る会　ジェン　ジャパンアフリカトラスト　ジョイセフ　地雷廃絶日本キャンペーン　ジンバブエ友の会　スーダン障害者教育支援の会　セーブ・ザ・チルドレン・ジャパン　世界の医療団　第3世界ショップ基金　ダイヤモンド・フォー・ピース　タンザニア・ポレポレクラブ　地球ボランティア協会　チャイルドドクター・ジャパン　DPI日本協議会　TICO　テラ・ルネッサンス　　トウマイニ・ニュンバーニ　「飛んでけ！車いす」の会　飢餓対策NICE　難民を助ける会　ニバルレキレ　日本救援医療センター　日本キリスト教海外医療協力会　日本ケニア交友会　日本国際飢餓対策機構　日本国際ボランティアセンター　日本国際民間協力会　日本サハラウイ協会　日本ブルキナファソ友好協会　日本紛争予防センター　日本モーリタニア友好協会　日本ラザルツ　バオバブの会　ハンガー・フリー・ワールド　バンゲア　HANDS　東アフリカの子どもを救う会・アルディナウペポ　ピースウィンズ・ジャパン　ヒューメイン・インターナショナル・ネットワーク　広島アフリカ講座　FAN3-fansaba　福岡・ウガンダ友好協会　プラン・インターナショナル　ブルキナファソ野球を応援する会　ブルンジ・ジャパン・フレンドシップ　ホープ・インターナショナル開発機構　ポポフ日本支部　マゴソスクールを支える会　まさよし夢基金　マラリア・ノーモアー・ジャパン　道普請人　緑のサヘル　SDGs・プロミス・ジャパン　ムリンディ・ジャパンワンラブ・プロジェクト　ムワンガザ・ファンデーション　メサフレンドシップ　モザンビークのいのちをつなぐ会　森のエネルギーフォーラム　野生生物保全論研究会　リトル・ビーズ・インターナショナル　リボーン・京都　ル・スリール・ジャポン　ロシナンテス　わかちあいプロジェクト　ワールド・ビジョン・ジャパン　ワールドファミリー基金

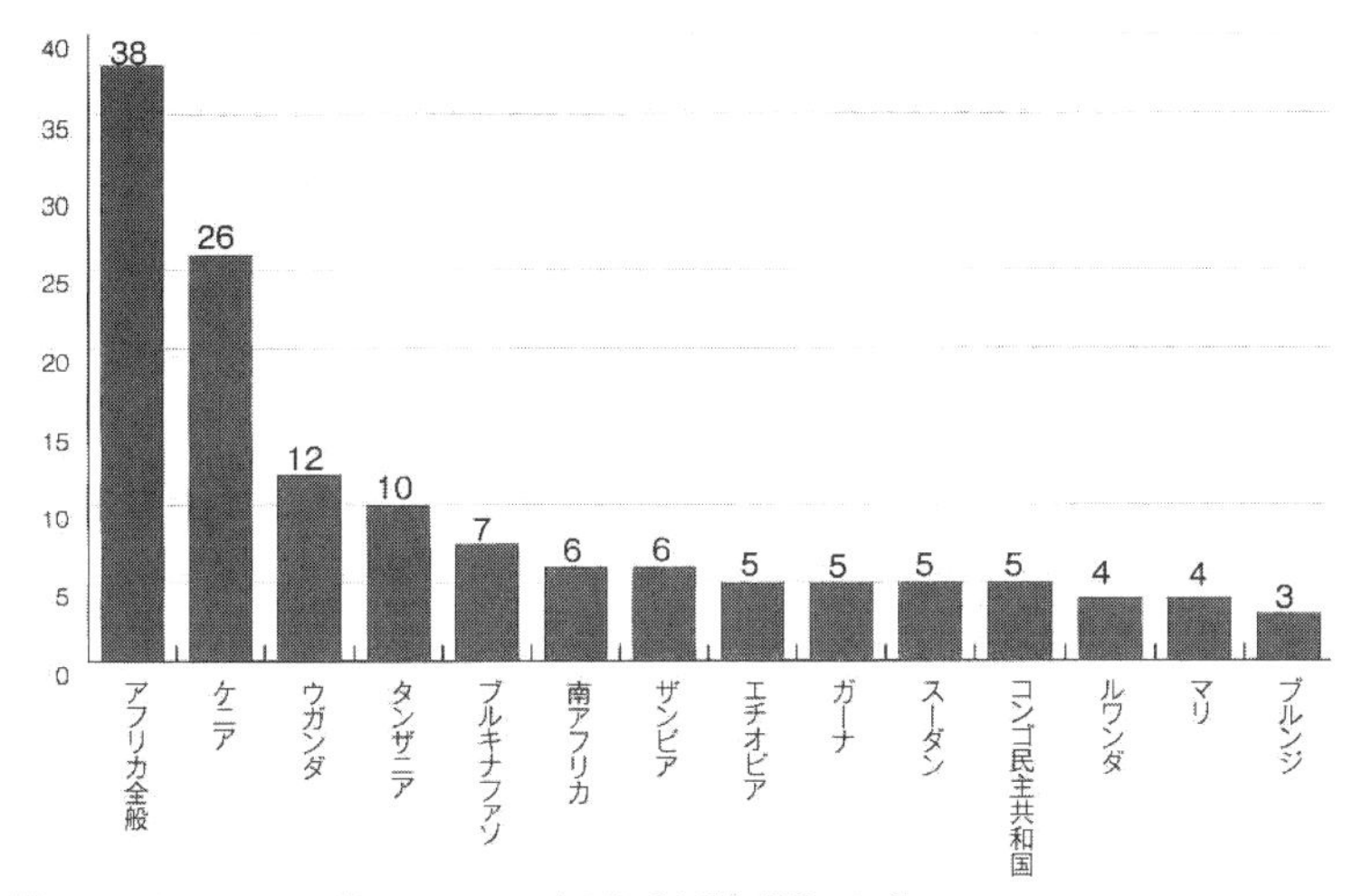

図１　日本のNGOの対アフリカ国別活動（上位）単位：団体
（AJF，2018を基に筆者作成）

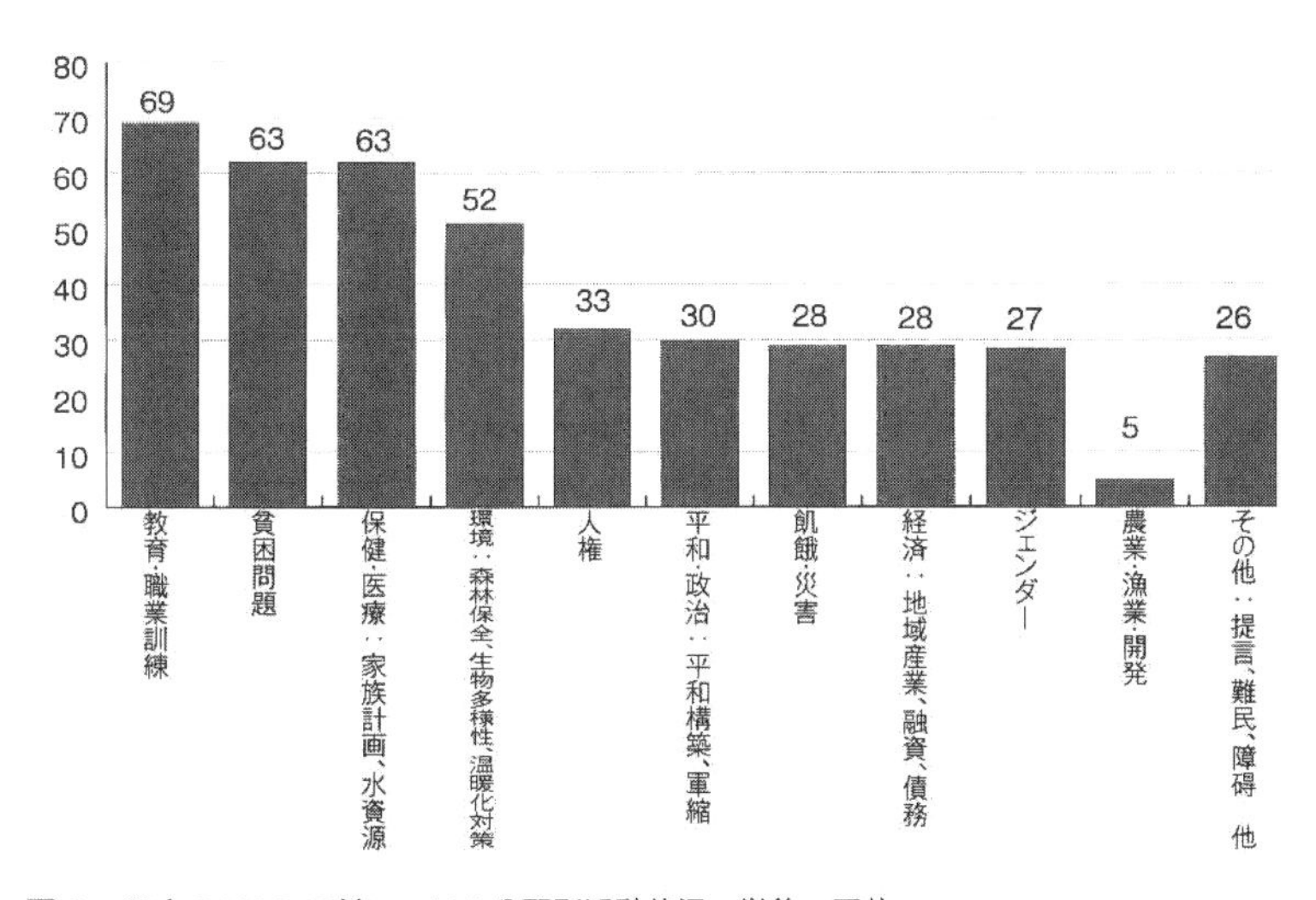

図２　日本のNGOの対アフリカ分野別活動状況　単位：団体
（AJF，2018を基に筆者作成）

ケニアが多い理由は、英語圏であり比較的治安が安定し東アフリカの玄関口、古くから政府との関係も良好な点にあると思われる。日本のＮＧＯの対アフリカ分野別活動状況は、図２に見られるように、教育69、貧困問題、保健・医療各63、環境52が上位にある。この数は、対象国が１つで目的も「貧困」だけの小規模から、活動地域（国）が多く分野も多岐にわたることによる。例えば財務面で最大の特定非営利活動法人ＡＭＤＡは寄付金収入が70億円以上あり、農村開発、スラム開発、職業訓練、保健医療、給水・水資源、小規模金融、自然災害、植林・森林保全、難民・国内避難民、障碍者、平和構築と広範囲に及ぶ活動団体である。一般には事業費が１億円以上の団体が44あり、１００万円以下で活動する団体が38ある（ＪＡＮＩＣ，２０１６，P.73)。

４　筆者が現地訪問した東アフリカの３事例

事例　Ⅰ　エチオピア・アジスアベバ　ＮＧＯ　Ｗ-ＩＳＥ

エチオピアにも多くのローカルＮＧＯが活動している。例えば「アグリサービス・エチオピア（AGRI-SERVICE Ethiopia＝ＡＳＥ)」は、１９８７年にローカルＮＧＯとしてアジスアベバに設立された。農村の貧困削減を目標にし、食料安全保障、環境保全、社会サービスの供給確保に向けて活動し、総合農村開発を発足させた。

本稿ではＮＧＯ　ＷＩＳＥの取材の様子を紹介する。２０１６年9月、世界的に有名なＮＧＯ　ＷＩＳＥ（Organization for Women in Self Employment）を訪問し、チギー・ハイレ（Ms. Tsigie Haile）代表と面談した。'We strive to Empower Poor Women and Girls !'（我々は、貧しい女性と女の子に自立心を与えよう！）と１９９８年1月に開設され、目的は以下のとおりである。①雇用の機会をつくる：持続可能な収入を得る雇用機会　②女性リーダーの育成：貧困を克服し強力に家族を導き発育を促進する　③選ばれたリーダーの持続可能な制度の構築：ＳＡＣＣＯｓ(7)という制度の独立独歩と持続可能なサービスの提供を確実にする　④望ましい実行・学習・再生の促進：この組織は国際的な慈善団体、地域に密着した組織、政府、民間、研究機関と協力関係を築き、より多くの女性と女子のために援助拡大を図る。

ＷＩＳＥの活動実績としては、アジスアベバ周辺7都市を含め３３，０００人の雇用機会を与え、信用組合から小規模金融サービスも受けられるようにした。現在は１３，０００人以上の雇用と64人が協同組合を編成しリーダーシップ・スキルのトレーニングを提供している。具体的には、ＷＩＳＥから1億4千万ビル（B: Birr）（約6億3千万円）の融資を受け、健康を促進するマイクロ保険計画、読み書き能力のトレーニング、４００人以上の女性に市場を確保して貧困女性の健康相談、保護、少額金銭支援などを行う7つの市場避難所の建設、１１，０００人以上の家庭に都市農業用の苗の供給配布、省エネルギー型料理用ストーブの提供、バザー・展示会のイベント開催、環境衛生活動が挙げられる。支援を受けた一人メキュアネット夫人は、

「教会で働く夫の収入が月額60ビル（約270円）、自分はパンを売っているが、1個10サンチューム（Cents）（0・45円）の手数料しか得られず生活が成り立たない。WISEからローンの借り入れをして、飲料水を扱う店を始め、次いで食料品店へ拡大した。今では『ISUZU』のトラックを持てるようになった」と言う。（「Let Me Marrate My Story」W. Mequanent）(8)

事例Ⅱ　ケニア・ナイロビ・スラム街のインフォーマル教育

ケニアの知られたNGOにアコード「ACORD（Agency for Co-operation and Research in Development Association）」がある。国際団体の連合組織として1976年に設立され、市民社会の強化、紛争解決、ジェンダーやその他の差別の克服、暮らしの改善、HIV／エイズの原因と結果への「分析と行動」を行っている。

本稿ではケニアのスラム、キベラのインフォーマル・レジデンス調査の一部を報告する。

ケニアの首都ナイロビ近郊には、10ヵ所以上のスラム（Informal settlement）地域が点在している。中でも最大規模のキベラは、英国植民地政府の傭兵南スーダン人が退職後居住許可を得て住み始めた。当初は比較的裕福な人々が住んでいたが、やがて低所得者の生計の場となり、地方から人々が流入し、住宅事情が悪化、都市計画や公共施設事業の失敗もあってこんにちに至っている。ナイロビ市（郡）の住民（336万人）の6割がスラムで暮らすと推定されており、キベラには50万人とも80万人とも言われる人々が暮らしている。キベラ全体では正規の初等学校が１４７校（２０１５年）あり、そのうち90校程度はスラム内にある。キベラの正規の学校３２８校（就学前・初等・中等・職業教育、２０１４年）だけでも５３，０００人以上が就学している（澤村，２０１４，pp.152-153）。

２０１５年9月、大阪大学大学院人間科学研究科の教育事情調査チームに同行し、キベラを訪れた。調査チームが訪問した低学費私立校は、貧困層の学校選択と就学の可能性を拡大し、初等教育の完全普及に重要な役割を果たしている。無認可であるがゆえ政府の補助金を得られないが干渉を受けることもなく、個人の自由な意志による学校の設立であり、無認可校であればこその長所も持つ。貧困者が自らつくるセーフティネットであり、キベラの住人（父兄・生徒）と、学校の役割（先生・給食係など）をつなぐ結節点としての機能にキベラの住人や研究者・観察者は理解と共感を寄せている。加えて子どもに対する使命感と教員間の連帯感があり、教員と生徒が同じコミュニティに住み就学機会を創っている。つながり合うことで最貧困にある人を支援すると言えるであろう。

調査のためにスラム街に入れば、汚濁と強烈な独特の臭いに直面する。生徒たちからのインタビュー回答では「レイプが怖くスラムから脱出したい」「隣国タンザニアやニューヨークへ行きたい」とあった。トタンで囲まれた粗末な小屋の中の教室、クーラーもない環境で先生や生徒たちの熱心さには圧倒された。キベラへは国連機関、ＪＩＣＡはじめ世界中の多くのＮＧＯが支援・援助を行っている。

事例　Ⅲ　コンゴ民主共和国（ＤＲＣ／旧ザイール）・キンシャサのストリートチルドレン

コンゴ民主共和国にも多くの国際ＮＧＯやローカルＮＧＯが活動している。首都キンシャサの市民組織ＮＧＯの活動開始は、１９９０年代初期である。２００２年から世界銀行やＩＭＦによる年間約10億ドルの資金援助が国際ＮＧＯに対して行われた。現在最も活動している国際ＮＧＯのひとつとしてシーモス（ＣＩＭＯＳ）がある。これはベルギー赤十字（Croix Rouge Belgique）、国際赤十字国際救援委員会（ＩＲＣ：International Rescue Committee）、世界の医療団フランス（Medecins du Monde France）、オックスファム（Oxfam）およびセーブ・ザ・チルドレン英国（Save the Children UK）の５つの国際的なＮＧＯを構成メンバーとして成立した組織である。アメリカのＮＧＯとしては、アフリケアー（Africare）が２００４年から活動を始めている。こうした国際ＮＧＯの活動の状況をみるために、セーブ・ザ・チルドレン・キンシャサ（Save the Children Kinshasa）とローカルＮＧＯ５団体９ヵ所の施設でインタビューを行った（深尾，２０１１，P.72-77）。

現在のキンシャサにおける路上生活者の数は、ＤＲＣのＮＧＯレジャー（ＲＥＥＪＥＲ）代表マフ（Mafu）（２００７年）によれば、総数１８，０９８人であり、男子が１３，３２０人、女子が４，７７８人と報告している。18歳以下のストリートチルドレンは１３，８７７人、その内訳は５歳まで７６６人、11歳までが３，６５７人、12歳から18歳までが９，４５４人である。

19歳から54歳までの成人が4，221人いるという。この生活者は市内578ヵ所に分散、路上生活486ヵ所、保護センター92ヵ所に住む。コンゴではストリートチルドレンの生まれるWitchcraft[(9)]（悪魔つき）がある（深尾，2011，P.73)。

（1）Save the Children Kinshasa

2007年6月13日に責任者のビブラ（C. Bivula）氏に面接した。1994年のルワンダにおける80万人を超える虐殺の救援から活動開始した。キンシャサにおいては1998年からストリートチルドレン支援プロジェクトを始めた。活動内容は、①「子どもの権利」を国民に周知徹底。②悪徳神父にだまされないようポスター、演劇を通じての啓蒙。③非識字者が多いのでラジオを通して市民へ呼びかける。④子どもの軽視・無視は犯罪であると市民への教育。⑤政府とSave the ChildrenとローカルNGOのネットワークを強化する。

（2）NGO REEJER : Le Réseau des Educateurs des Enfants et Jeunes de la Rue（ストリートチルドレンや若者に対峙する教育者のネットワーク）

キンシャサにおけるNGOのプラットフォームREEJERの部長マケイア（MR. O. Macair）に取材した。1998年にローカルNGOの支援、ネットワークと指導を目的としてキンシャサに設立された。スタッフは10人で、使命は二つである。一つはストリートチルドレンの保護や家族探し、子どもの権利を守り、環境を整備して更生を図ること。二つ目は路上に居るストリートチルドレンのケアをするためNGO組織を拡大し、スタッフの能力を増強することにある。協力団体にセーブ・ザ・チルドレン英国、ユニセフ、モニュク（ＭＯＮＵＣ）[10]に加えてカナダ、イギリス、イタリアの各大使館から財政支援を受けている（深尾，２０１１，P.76）。

5 アフリカの子どもを支援するＮＧＯ

草の根ＮＧＯ ＳＥＳＣＯのアフリカ子ども支援とモンガフラプロジェクトについて、小規模活動ながら30年間関わってきた。目的は大別して二つある。一つはコンゴ民主共和国の首都キンシャサの子ども支援。二つ目は日本国内の人々にアフリカを伝える活動である。ＮＧＯＳＥＳＣＯ発足は１９９２年「学校に屋根を贈ろう」という活動を現地キンシャサのＮＧＯからの要請に基づいて対応をしたことが嚆矢となった。以降、１９９５年の阪神淡路大震災では外国人留学生を支援し、ガーナ共和国チョーコ村では保育所・職業訓練所を立ち上げた。国内では「アフリカを伝える」ためにアフリカンセミナーやクリスマスチャリティパーティー、プチ親子国際会議と称して在日外国・アフリカ人の子どもたちと日本人小学生の交流をした。同時に２００６年にキンシャサのストリートチルドレンの救済・自立支援を目的として設立されたＧＡとも協働し、自立支援型農業学校の建設を目指し、キンシャサ市モンガフラ区に８・23ヘクタール（東京ドームの約６・３倍）の土地を購入した。

おわりに

ＮＧＯとは何か、にはじまり、ＮＧＯの近年の動向とアフリカにかかわる日本の国際協力ＮＧＯの現況を概観した。アフリカ大陸54ヵ国、総人口12億人に対して日本のＮＧＯは大小120の団体が存在するがその成果と課題は何か。アドボカシーのできるＮＧＯも少なく、ＮＧＯ間のネットワークの連携不足も目に付く。人材の育成や、重層的な取り組みのできるＮＧＯ団体が増加することを望みたい。

本論ではエチオピアＮＧＯ ＷＩＳＥの女性支援の優れた活動、ケニアのスラム街キベラでのインフォーマル小学校への国際ＮＧＯの事例、コンゴ民主共和国での国際ＮＧＯとローカルＮＧＯ調査を報告した。

ＮＧＯの原点、例えば「貧困」とは、ミクロの視点では目の前の人を助ける活動か、あるいは貧困を生み出す構造を変えて貧困自体をなくすマクロの視点で活動するのか。複眼思考から解決していくことが求められる。

ＮＧＯの役割を今一度問い直してみると、重田康博は「ＮＧＯが持っている活動理念や目指す将来像の根幹は、開発途上国やそこに住む人々の貧困削減、環境の保全、人権の擁護などの国際協力活動であり、途上国のパートナー団体や住民グループなどの受益者が主役であって、ドナー、会員、寄付者はあくまでもＮＧＯや途上国の受益者グループのサポーターである。（略）日本のＮＧＯが目指すアカウンタビリティの本質とは、すべてのステークホルダー間の調整である」と述べている（重田，２００５，P.316）。いずれにせよ国際協力ＮＧＯもその正当性（legitimacy）、将来像（vision）、使命（mission）、自己存在証明（identity）、説明責任（accountability）について問われている。ＮＧＯは、「国際協力を行う非営利の市民組織」という定義と、そこに込められた本質を今後も見失うことなく、世界的な情勢や国内の動向の中で必要とされる活動を常に見極めるとともに、市民からの共感や支持を得ながら、他セクターからも重要な連携相手として信頼される存在であることが求められている。ＮＧＯが目指す社会的変革を実現するためには、ＮＧＯは常に自省的に自らの在り方を問い直しつつ前進していくことが必要ではないだろうか。

注

(1) アフリカ大陸には54ヵ国あるが、アフリカとは、通常北アフリカ（エジプト、リビア、チュニジア、アルジェリア、モロッコ）の5ヵ国を除くサハラ砂漠以南のサブ・サハラ49ヵ国を指すことが多い。

(2) ＴＩＣＡＤとは、Tokyo International Conference on African Development（アフリカ開発会議）の略で、１９９３年に日本が主導し国連、国連開発計画（ＵＮＤＰ）、アフリカ連合委員会（ＡＵＣ）および世界銀行と共同で開催。２０１９年8月、横浜でＴＩＣＡＤⅦが開催された。

(3) Send Schools to Children of the World：「世界の子どもたちに学校を贈ろう会」と名付け、「ザイールの屋根のない学校に屋根をかけよう」と関西のビジネスマンが中心となり、主にアフリカの子ども支援を目的に１９９３年に設立された。

(4) Groupe Alternative：在日元コンゴ人留学生による、キンシャサのストリートチルドレン支援のＮＧＯ。

(5) Millennium Development Goals：２０００年9月に、世界各国の指導者が国連ミレニアム・サミットに集まり平和、人権、民主主義、強力なガバナンス、環境の持続可能性、貧困撲滅のための国際的取り組みを強化、人間の尊厳、平等、公平の原則を推進することを公約した。このミレニアム宣言は189ヵ国が採択した。

(6) Sustainable Development Goals：2015年9月、国連総会時に開催された「国連持続可能な開発サミット」は、「2030 アジェンダ」を採択し、30年に至る17の社会・環境開発目標と、具体的な行動の目安となる169のターゲットが書き込まれた。基本となる理念は「誰も置き去りにしない」。

(7) Savings and Credit Cooperatives：貯蓄信用協同組合。

(8) WISEの「月報誌」。支援を受けた会員・関係者から感謝の記事が掲載されている。

(9) キンシャサの特徴として例えば人が死ぬと「悪魔がついて家族を不幸にするから」と親や親族から捨てられる子どもが多い。これをWitchcraft（悪魔つき）と呼んでいる。

(10) Mission of the United Nations in the Democratic Republic of the Congo war：国際連合によるコンゴ民主共和国における第二次コンゴ戦争の停戦監視のための平和維持部隊である。

〈引用・参考文献〉

アフリカ日本協議会（AJF）『アフリカで活動する日本のNGOデータベース』（2018年）

深尾幸市 編著『ボランティア―その理論と実践』（久美 2004年）

深尾幸市「キンシャサにおけるストリートチルドレンの現状とNGOの取り組み」（「ボランティア学研究」第11号・69-84 2011年）

深尾幸市「アフリカにかかわる日本の国際協力NGO」（「大阪青山短期大学研究紀要」第36号・75-84 2013年）

外務省・特定非営利活動法人国際協力NGOセンター（JANIC）『NGOデータブック2016』（2016年）

澤村信英 編『アフリカの生活世界と学校教育』（明石書店 2014年）

重田康博『NGOの発展の軌跡―国際協力NGOの発展とその専門性』（明石書店 2005年）

内海成治 編『新版 国際協力論を学ぶ人のために』（世界思想社 2016年）

Denis Mukwege with Berthild Akerlund
デニ・ムクウェゲ，ベッティル・オーケルンド著／加藤かおり訳（あすなろ書房　２０１９年）

『すべては救済のために ――デニ・ムクウェゲ自伝』

仏文：PLAIDOYER POUR LA VIE

私たちが使うスマホやパソコンの心臓部に使用されている稀少な鉱石コルタンは、その８割がコンゴ民主共和国（旧ザイール）の東部に眠っていると言われる。この地の武装集団は、稀少資源の闇市から利益を得ながら、支配地を広げようと争ってきた。本書表紙裏面に、「『もう一度女性に見えるようにしてください。私には大事なことなんです。先生どうかお願いします！』――手術の前に何度このように懇願されたことか。コンゴ民主共和国では、レイプは住民を服従させる手段として組織的に用いられている。民兵は村々を焼き払い、住民を殺しているが、彼らの最大の武器は性暴力だ。彼女たちが誇りを取り戻し、それを通じて国民全体も誇りを取り戻せるように、**その日が来るまで私は闘う**。たとえ人生を危険にさらしても。その日が来るのを見届けること。それが私の何よりの願いだ。」と、２０１８年ノーベル平和賞を受賞した著者は述べている。

経歴は、1955年、コンゴ民主共和国に生まれる。隣国ブルンジで医学を修め、病院勤務とフランス留学を経て産婦人科医になる。1999年、故郷ブカヴにパンジ病院を設立、4万人以上の性暴力被害者の治療と支援にあたってきた。また、コンゴ東部に蔓延する性暴力の撲滅と女性地位向上を国際社会に訴える活動にも取り組み、国連人権賞（2008年）、サハロフ賞（2014年）など数々の賞を受賞している。

では、本書・「自伝」を紹介するにあたり、年表を追ってから内容を見ることにする。

1955年3月　コンゴ東部、ブガヴで生まれる。生誕直後に深刻な感染症にかかるが、スウェーデン人女性教師の奔走で一命を取りとめる。

1960年　コンゴ独立。

1961年　初代首相パトリス・ルムンバが殺害される。

1965年　軍事クーデターを通じてモブツが権力を掌握する。

1971年　モブツ大統領が〈真正化政策〉を開始。国名も「ザイール」に変更。

1977年　ブルンジの首都ブジュンブラで医学生になる。

1980年　裕福な卸売商の娘マドレーヌと結婚。

1984年　産婦人科医になるためフランスに留学。経済的に困窮するが、福引で車が当たり窮地を脱する。

１９９２年　レメラ病院の医師兼院長に任命される。モブツ政権が行き詰まり、暴力が蔓延。
１９９４年　地元住民が私とレメラ病院の一部スタッフを追い出す。ルワンダ大虐殺発生。
１９９６年　後にルワンダからザイール東部に数十万のフツ系住民が難民として押し寄せる。第一次コンゴ戦争（～１９９７）。病院襲撃事件では多くの患者とスタッフが殺害される。
１９９７年　反政府軍の指揮者ローラン・カビラが権力を掌握し国名、ふたたび「コンゴ民主共和国」となる。
１９９８年　第二次コンゴ戦争（～２００３）。家族とケニアに逃れる。残虐な性暴力が地域に蔓延する。
２００１年　カビラ大統領が暗殺される。息子のジョゼフ・カビラが後継大統領となる。
２００２年　パンジ病院を正式に開業する。
２００６年　独立後初めての民主的選挙。国連総会で演説する。
２００８年　国連人権賞を受賞する。
２０１０年　ジョゼフ・カビラ大統領が初めてパンジ病院を訪れる（最初で最後）。
２０１３年　アメリカで亡命生活後、ブカヴに戻り、病院の敷地内に住む。フランスのジャック・シラク財団賞受賞。スウェーデンのライト・ライブリフッド賞受賞。
２０１４年　欧州会議よりサハロフ賞を受賞する。

2016年　日本の支援団体〈コンゴの性暴力と紛争を考える会〉の企画で初訪日を果たす。
　　　　　ソウル平和賞を受賞する。
2018年　ノーベル平和賞を受賞する。

　さて、2019年10月7日、立命館大学衣笠キャンパスにて、デニ・ムクウェゲ医師の名誉博士号贈呈式・記念講演会が開催され、聴講に出かけた。講演会は「**暴力のない世界の実現と女性の人権** —— **SDGsの視点から**」"Women rights, absence of violence in the context of SDGs" したがって、本書の内容紹介は、当日の講演要旨を中心に述べることにしたい。
　コンゴが本格的な紛争状態に陥った1996年10月に、自身が運営する病院が武装勢力により襲撃され、患者やスタッフが虐殺された経緯から、その後の様々な事件、脅迫、実践活動を語った。

・何より「**女性の人権**」や「**女性への連帯**」が最重要課題である。
・コンゴ東部では地政学的に紛争が続き、被害者は常に女性と子どもたちである。
・現在も続いている「**レイプ**」**は、紛争下で残酷な手段として使われている。**
・性器を傷つけられた6ヶ月の子どもから80歳の女性まで、病院には毎日10人以上運ばれてくる。1999年以降、10万人はくだらない。
・術後の女性には退院後のサポート、カウンセリング、セラピー、法的サポートが必要だ。

・暴力的性被害者を社会復帰させるための支援が必要だ。
・SDGs、17の国際目標の中でも、1貧困、2飢餓、3保健、4教育、16平和を重視する。
・鉱物資源をめぐる争いが続く現状に「**国際社会は無関心と闘わなければならない**」。
・コルタン／タルタンの埋蔵量は豊富ながら、民兵の略奪で民衆は恩恵を受けていない。
・資源利用として世界の全ての店で消費者が一人ひとりクリーンに。日本企業にも期待。
・対策マッピングをつくるも何もなされていない。軍の指導者も見て見ぬふりをしている。
・4つの軸として女性の人権、性暴力の撲滅、教育の保証、女性への経済支援がある。
・性暴力、犯罪のない、よりよい世界の創造を実現しようではないか。**今から直ちに行動しよう。**

「私と同僚の医師たちにできるのは性暴力被害女性たちに手術と治療を施し、彼女たちを自宅に帰すことだ。だが、彼女たちが時を置かずしてまた同じような傷を受け、病院に舞い戻ってくることもしばしばだ。私と同僚の医師たちは身体の傷は治せても、私たちの社会を蝕む性暴力という病害の前にはなすすべがない。**この国を治療するには、あなた方すべての力が必要なのだ。**どうしたら性暴力をなくすことができるだろうか。あるいは少なくともその数を減らすことができるのか？（中略）国の指導者たちと話し合いを試みたが問題に目をつぶり否認するばかりで打開策は見つからない。加えて指導者は責任を放棄して国民の信頼を裏切り、コンゴでおきている犯罪の片棒を担いでいる」。「私と同僚はけっして孤軍奮闘しているわけではない。私たちの闘いは世界に支持されている」。「私は望みを捨てていない。この国の状況を変えられると信じている。変化は足もとから、それぞれのコミュニティから生まれなければならない。変化の波がうねりとなって頂きにまで達するのだ。コンゴ東部を疲弊させている紛争や野蛮でむごたらしい暴力はけっして運命づけられたものではない。腐敗や鉱物資源の違法取引も然り。それらに終止符を打つことはできる」。「女性たちを苦しめるこの性暴力の問題に対して新しい指導者が当事者意識を持ち、状況を大きく改善させることだ。残虐行為は一つ残らずやめさせなければならない。その日が来るのを見届けること。それが私の何よりの願いだ」。そして、最後にデニ医師は「この問題を解決する手立てを見出すのは、私たちコンゴ人でなければならないのだから」と結んだ。

講演での様子は、情熱的な語り口で、拳を振り上げて参加者に呼びかける背の高いデニ博士の姿が印象的で、また感動的であった。

コンゴの性暴力と紛争を考える会／下村靖樹（撮影）

「旅」アフリカ特集　１９８０年10月号

我が人生に大きく影響したアフリカとの関係は、１９８０年10月、ナイジェリア北部のカドナにあったアレワ紡績に駐在したことにある。40年前、赴任直前に発行された旅行誌「旅」10月号・アフリカ特集（日本交通公社）が書棚の中から出てきた。

目次を見てみよう。

渡部雄吉「マグレブ紀行」、佐藤秀明「象牙海岸の人々」、奈良原一高「ケープタウン１９８０」、岩合光昭「気球サファリ」、山川惣治「帰って来た少年王者・山川惣治ケニアをゆく」、小中陽太郎「少年王者とその時代」、丸本淑生「モロッコの夜」、山本七平「喜望峰に立つ」、戸川幸夫・羽仁進・岡崎有紀・小倉貫太郎「サバンナ讃歌」［座談会］、渡辺淳一「ガーナで想ったこと」、藤本義一「アフリカの風」、いかりや長介「強い味方〝マサイ〟」、向田邦子「モロッコの市場」、増井光子・鈴木英一・片瀬貴文・米山俊直・石川晶・近藤春彦・中村進「アフリカと私」、池田林子・牧浦敏夫「Safari Guide」、沼田 忠孝「アフリカ旅行術」、市谷健「サハラ縦断」、伊沢友明「青年ドクター・ナイル源流を行く」、木葉井悦子「ナイジェリア・カノから」、柳谷三谷子「セネガル・ダカールから」、中原祥雅「サファリ・ラリー奮戦記」、足立倫之「金卵の鑑定士」、青野聰「冷ややかな夏」、小林信彦「サモアン・サマーの悪夢」、真鍋博「ナマズ」、本城靖久「私の西アフリカ」。加えてアフリカ協会監修「Africa Geographical Chart」〈地勢・動物・探検・民族・国勢・歴史・気候・映画・文献〉が網羅されている。

この執筆者の多彩なこと。今ではこれだけ集めるのは困難ではなかろうか。全文読んでいて懐かしい。近年エチオピア、ケニア、タンザニアなど東アフリカへ出かけたが現在に続くアフリカが見えてくる。

日本アフリカ学会　第50回学術大会に参加して

日時　平成25（2013）年5月25日（土）・26日（日）
場所　東京大学大学院総合文化研究科（駒場キャンパス）

口頭発表　4会場にて以下の分野について研究発表がなされた。

1　農業・環境
2　人類学・医療・教育
3　文化・芸術・狩猟
4　政治・経済・社会・国際機関

○　学会創立50周年記念公開講演会
浦野起央　日本大学名誉教授「アフリカ研究会から日本アフリカ学会へ」他

○　特別フォーラム「アフリカ研究の手法」

所感

京王井の頭線・駒場東大前駅東大口より徒歩0分に駒場キャンパスがある。「駒場」は東京大学教養学部の代名詞ともなっている。

さて、今年の日本アフリカ学会は50周年記念ということもあり盛会であった。対象国は54ヵ国にのぼり、2日間、4会場に分かれて、上記分野に関して100人の研究者の発表があった。学者、研究者、大学院生、実務家が研鑽した多岐にわたる内容の発表と討議が続いた。私が主に関心を寄せたのは、「アフリカ子ども学」「激動のアフリカ国境地帯――政治・経済・文化――」のフォーラムとルワンダ、コンゴ民主共和国、ナイジェリア、セネガルの政治・民族・宗教・教育などである。また、50周年記念講演会の浦野起央(たつお)、諏訪兼位(かねのり)、端信行、奥野保男各氏の回顧から実践・研究の歴史の重要性を痛感した。いつもながら学会参加では多くの刺激を受け、学問の広さと奥深さは尽きることがない。今回も圧倒され、充実した学術大会であった。

2020年12月15日　補記

「多文化共生論」の授業にアイサッタさん

２０１５年12月17日（木）の「多文化共生論」の授業で、マリ共和国から来日している留学生アイサッタ・Ｄ（Aissata D.）さん（マリ人・27歳）に特別講義をしていただいた。内容は「マリ共和国の概観」と「日本で始めた生活」を主題にしたものである。前者は、マリ共和国の略史、国土（三分の二が砂漠）、トンプクツーを始め４つある世界遺産、教育制度、乏しい食生活、一夫多妻、家族構成のことなど。後者は、今年３月来日後、深夜のアルバイトをしながら毎日６時間の日本語学習を16人のクラス（アフリカ人は１人）で続け、来春に大学院（経営学）入学を目指している。まだ日本人との交流は少ないが、「日本人は礼儀正しい」「日本人はシャイ」との印象とか。

一方、受講生の感想からは、外国人（アフリカ人）から直接話を聞いたのが初めてで、ＴＶなどと異なりリアルな体験が興味深く「楽しかった」「アフリカ（マリ）をもっと知りたい」「一夫多妻に驚いた」「外国に行きたい」などが多かった。

こうした招聘講師による講義を毎年企画し、今までにコンゴ民主共和国、アイボリー・コースト、オランダ、フィリピンなどからの大学教員や留学生に来ていただいているが、「異文化交流」、「多文化共生」の機会は学生たちにとって貴重な体験になっているようだ。

授業風景

私が読んだアフリカ関係書物

今回の論考は、最近読んだアフリカ関係の書籍を再読も含めて紹介してみたい。

チママンダ・ンゴズィ・アディーチェ『半分のぼった黄色い太陽』(河出書房新社　2010)。**嵐よういち**『アフリカ・ブラックロード』(彩図社　2013)。**アイザック・ディネーセン**『アフリカの日々』(晶文社　2014)。**トム・バージェス**『喰い尽くされるアフリカ』(集英社　2016)。**小川さやか**『チョンキンマンションのボスは知っている』(春秋社　2019)：パイオニアの移民を中心としたチェーンマイグレーションや、中国・香港・東アフリカをまたぐ経済プラットフォームの形成が具体的に記されその分析が面白い。**島田周平**『物語　ナイジェリアの歴史』(中公新書　2019)。**上田文**・他『アフリカンプリント』(青幻舎　2019)：京都で生まれた布物語。私事ながら１９８０年代、３年間勤務した日本の10大紡績が、ナイジェリアのカドナに設立した合弁工場アレワ・テキスタイルズも登場して親近感が深い。**デニ・ムクウェゲ**『すべては救済のために――デニ・ムクウェゲ自伝』(あすなろ書房　2019)：性的テロ撲滅のために命をかけた医師の告発。ノンフィクション。著者のデニ・ムクウェゲは２０１８年ノーベル平和賞を受賞している。**清水貴夫**／**ウスビ・サコ**『現代アフリカ文化の今』(青幻舎　2020)。**ウスビ・サコ**『ア

フリカ出身　サコ学長、日本を語る』（朝日新聞出版　2020）：サコ教授とは永年交流もあり、弊著『私のアフリカ、私の旅』にも登場していただいている。**白戸圭一**『アフリカを見る　アフリカから見る』（ちくま新書　2019）：労作『ボコ・ハラム』（新潮社　2017）に続いて「アフリカ侮蔑論者」と「アフリカ礼賛論者」間のバランスをとったアフリカ観が秀逸である。**田島隆雄**『情熱のアフリカ大陸』（幻冬舎　2020）：サラヤ「消毒剤普及プロジェクト、主にウガンダでの活動」の全記録。恩師や大学院時代の仲間も登場し楽しくもある。**石塚正英編**『アミルカル・カブラル――アフリカ革命のアウラ』（柘植書房新社　2019）。**ウルフ・アッシャン**『アフリカのブリックス』（ＪＩＣＣ出版　1990）。**ワリス・ディリー**『砂漠の女ディリー』（草思社　2000）：ソマリアの砂漠に遊牧民として生まれたが13歳で砂漠を逃げ出し、ロンドンへ渡り、写真家に見出されてモデルになる。やがて国連特別大使としてＦＧＭ（女性性器切除）廃絶を訴え世界的に活動する。（再読）。**エイモス・チュツオーラ**『やし酒飲み』（岩波文庫　2012）（再読）。**白石顕二**『アフリカ直射思考』（洋泉社　1985）（再読）。

なお、学会誌などとして「アフリカ研究」（日本アフリカ学会　年1回発行）、「アフリカ教育研究」（アフリカ研究フォーラム　年2回発行）、「ＡＦＲＩＣＡ」（アフリカ協会　年4回発行）、「アフリカＮＯＷ」（アフリカ日本協議会　年2～3回発行）がある。

２０２０年12月10日　記

ポストコロナの世界

コロナ禍後の世界は、民主自由国家と強権的専制国家との戦いがどうなるのか。経済の落ち込みを極小にしながら、新型コロナウイルスの拡大を防ぐという難しい政策が行政府に求められる。ウィズコロナ、病院・医療充実とワクチンの開発が急がれ、各国の力量が問われている。グローバル化の見直し、勤務形態や労働者構成の変化、国際協調より自国優先という現象が生じる。従来は、ヒト、モノ、カネが大量に国境を越えて移動していたが、各国は国を閉めた。日本の製造業の生産拠点も中国に置いていたが供給網が遮断され、中国人観光客による「爆買い」も消えて、中国依存の見直しは必至だ。世界保健機構（ＷＨＯ）、世界貿易機関（ＷＴＯ）など国連も充分機能しなかった。国民国家への回帰とともに国際機関は規模縮小になるだろう。「新しい生活様式」では、テレワークやオンライン会議が普通になる。自宅で仕事をして、必要な時だけ出社する。都市部のオフィス需要は激減する。出張も大幅に減り、交通機関の見直しにつながると思われる。産業構造は大きく変化し、通信販売、運送業やＩＴ企業は存在感を増すだろう。仕事の仕方もリモートの進展で極端な成果主義になる。ビジネスパーソンに求められるのはアウトプット、つまり結果だけが評価対象となっていく。数値化されない頑張りは明確な成果でないことから、評価の対象から外れる。会社から評価を得るためには、自腹でもう1台パソコンを買い2～3台併用して「無際限無定量に働いて成果を上げる」。そんな働き方が嫌なら、すべてを放り投げて最低限だけの仕事をするかの二択になるのではないか。

「本当の幸福とは何か」「人間の生死はどのように決まるのか」というような人間の内面に対する関心が深まる。金儲けや出世をこれまでどおりの価値観として受け止めて、仕事に邁進する人もいるが、そこから降りて自分なりの価値観を見出し、これまでとは異なる幸せを目指す道もある。生き方の二極化が始まるであろう。

教育に関してはどうか。学校はオンライン授業が基本となり、対面授業との組み合わせになる。「対面形式」の授業は価値が上がる。オンラインの授業がいくら充実しても、学生たちは大学に直接行き、教えを請う。誰と学ぶか、いかに学ぶか。付加価値による区別化が進むと、教師のスキル、集まる学生の質、そうした条件によって、教育の格差はコロナ前よりも一層拡大していくと思われる。

現今の経済の見通しはどうか。急激な景気悪化に3つの特徴がある。①外需やインバウンドは当てにできない。②個人消費の需要と供給が同時に「蒸発」してしまう。③コロナ禍はいつ収束するのかが見通せない。したがって、企業への取り組みもドイツ政府がルフトハンザ航空に資本注入したように、「どの会社は助けて、どの会社は見捨てるか」という一種の「トリアージ」が必要になってくる。トリアージとは緊急事態の際に、患者の重症度に基づいて治療の優先度を選別する行為で、可能性の低い患者よりも、可能性の高い患者に限られた資源を集中することである。人命にかかわるだけに、そこには重い葛藤が生じる。これを日本企業相手にできるのか。誰がそんなノウハウを有しているのか。ひとまず必要なのはプロ経営者とバンカーによる冷徹な判断であろうか。

こんにちのパンデミックの克服を通して、どのような社会を建設するのかが問われ、社会の分裂修復と新しい理念の下での国民の再統合が急がれる所以である。

なお、コロナウイルスに感染し、去る8月6日コンゴ民主共和国・キンシャサ大学の知人カイエンベ医師がお亡くなりになった。哀悼の意を表します。

追記

新型コロナウイルスのアフリカでの感染者数が累計100万人を超え、死者数は2万2千人（「朝日新聞」2020年8月8日付）。南アフリカ、エジプト、ナイジェリア、ガーナ、アルジェリアの5ヵ国で全体の感染者数の75％を占めている。WHOでは検査が不足している国が多く実際の感染者はさらに多いと見ている。タンザニアのマグフリ大統領は5月に「感染者509人、死者21人」と発表を最後に6月上旬「神のおかげで新型コロナは取り除かれた」

カイエンベ医師（DRC Kinshasa University Professor H.C.Kayembe）
2007 年 6 月　自宅でご家族と

と収束宣言をした。しかし、国内では新型コロナと疑われる病人が相次ぎ、地元記者によると数十人の遺体が夜中に埋葬されているという。無茶苦茶だ。

追記の追記

タンザニア政府は２０２１年３月17日、同国のマグフリ大統領が国内の病院で死去したと発表した。61歳。死因は心疾患だとしているが……。

新型コロナウイルスに閉じ込められた或る老人の一日

世は桜満開なれど花見もままならない。政府による外出自粛要請が続いている。新型コロナウイルス感染症・COVID-19・武漢ウイルスによる世界恐慌の真っただ中であり、日増しに感染者が拡大しているのだ。ＷＨＯ（世界保健機関）の判断の遅れが世界に深刻な事態を引き起こした。人類共通の脅威と戦うこんにち、パンデミック（世界的流行）に対応する各国の力量は如何に。世界の政治、経済、社会、医療に対する知恵と行動が問われる日々である。当面の課題は、「命が第一」。緊急事態宣言、企業倒産、失業問題、株式動向、病院・医療・ワクチンの開発、インターネット学習の充実などが挙げられる。また、東京オリンピック・パラリンピックの延期に伴う負担と効果の行方。そして、チャイナリスクの観光・サプライチェーンの見直しが必要である。危機終息後の労働形態は、「働き方改革」――テレワークの広がり、地方への分散化と活性化が考えられる。一方全世界は、ＥＵの残り方、ロシアの衰退、インドをはじめアジアの激動、中近東の紛争と石油問題がある。最も重要な米中関係、民主的自由国家と強

桃山公園　春日大池

権的専制国家との戦いはどうなるのだろう。

さて、新型コロナウイルスの脅威という死活の課題に直面して何を悠長なことと言われるかもしれないが、八十路の一人こんな「私の標準的な一日の過ごし方」もある。午前中は新聞2～5紙を読み、原稿（書評・エッセイ・小論文）を執筆する。音楽鑑賞は以前に購入したCD、ニューヨーク・フィルハーモニーTOSCANINIシリーズ、ベルリン・フィルハーモニー　ジェイムズ・レヴァイン（J. Lvine）〈シューマン交響曲2番3番〉、エンシェント室内管弦楽団によるバッハ（J.S.BACH）〈ブランデンブルグ協奏曲〉などである。午後は、スポーツジム閉鎖のため庭で日光浴。Netflixによる映画鑑賞は昔の名画や近年の話題作（便利な時代だね）。夕方には近隣の桃山公園の春日大池周辺を散歩して、5000歩ほどになる。外出時は散歩でも衣装を整え、使わないけれど所持金は普段の倍を持つ（週に1～2回は南千里のパン屋「Sunny Side」へ、お気に入りのショルダーハム入りクロワッサンサンドやクリームパンを買いに出かけるが）。帰宅してからは、マッサージ機器30分。仏独伊西葡のワインか日本各地の名酒を冷か温燗で夕食をとる。仮眠。メール検索、Yahoo ニュースのチェックとYouTubeで「CNN」「虎ノ門ニュース」を観る。読書は古典とノンフィクションが主である。例えば、『方丈記』、沢木耕太郎の作品群。雑誌では、「正論」「WILL」「Hanada」「Newsweek」など。今回のコロナ禍から人類の弱みを思い知らされ、人々の思考と行動が大きく変化するであろう。一刻も早く人々が安寧に過ごせる日々が来ることを祈りながら。就寝。

付記

日本政府は「緊急事態宣言」を発表。「4月7日～5月6日」外出自粛要請がとられた。

2020年4月10日　記

道頓堀　2020年4月3日・筆者撮影

コロナ禍における大学の諸問題

教育界に身を置く一人として大学問題に一度は触れておこう。

新型コロナウイルス感染症の流行で、大学の多くの授業がオンラインになり、キャンパスから学生が消えた。現在は対面授業も復活しているものの、以前のようなキャンパスライフが戻るのはいつの日か。一方大学入試は21年度から「大学入試センター試験」の後継となる「大学入学共通テスト」が採用され、本試験第1日程が1月16、17日に実施された。受験生約53・5万人。国公私立大学の一般入試は2月から本格化し、3月下旬まで続く。そもそもなぜ、共通テストに変更されたのか。近年急速に進む情報化、国際化に対応できる人材を育成しなければならない社会的要請に基づいている。したがって、①知識・技術、②思考力・判断力・表現力、③主体性をもって多様な人々と協働して学ぶ、という「学力の3要素」が不可欠とされる。高校教育、大学入試、大学教育を一体として改革する「高大接続改革」がうたわれた。

また、国立大学の第3期中期目標期間が最終年を迎え、22年度から始まる第4期（6年間）

設置者別にみた大学の規模　（2020 年度）

	国立大学	私立大学	公立大学	計
学校数	86 校	615 校	94 校	795 校
教員数	64,076	111,335	14,087	189,498
学部学生数	435,160	2,049,045	139,695	2,623,900
修士課程　学生数	93,718	55,909	10,699	160,326
博士課程　学生数	50,891	19,259	5,222	75,372

注　：　教員・学生数は単位　人。

に向けて国立大学86校がそれぞれの将来ビジョンを策定する年になる。

日本に大学の数や学生がどの程度存在しているかご存じですか。

さて、「学び」の本当の課題は対面かオンラインかの二者択一ではない。「人が成長する上で他者と関わることがいかに大切か」。その機会を積極的につくり出すことが必要であり、課外活動も大学の重要な側面である。感染防止を徹底したうえで大学祭を開催するとか。オンライン・オンデマンドの定着により、リカレント教育、社会人が大学や大学院で学べる方法が広がることも。さらに地方と都心、外国の大学との特徴をもつ大学間連携を深めることも。「教えることから学ぶことへ評価の視点を移す」。即ち、従来の教える側の管理で成り立つ出席回数、試験やリポートの単位認定を見直す。学ぶ側が教員と相談しながら自分の目標と学び方を決め、自ら目標を達成することで単位を認定する方法があっても良い。定員管理の基準を入学定員から収容定員へ、学部単位から大学全体に変えることで学生の学ぶ期間を多様化することも考えられる。大学設置基準（校地面積や施設設備、学生定員など設計条件）の見直しの時期に来ているのではないだろうか。

筆者は65歳から大学院へ社会人学生として入学し、博士課程終了後、私学の客員教授を経験した経緯から教員側の勤務風景にも触れておきたい。入学式、卒業式をはじめ特に1～3月は、卒業論文、修士論文、博士論文提出前の指導。新年度の授業シラバスの執筆と提出。自身の学会誌投稿の締切り。特に新型コロナウイルス感染下ではオンライン、オンデマンド、YouTube、資料提出、対面授業を組み合わせるハイブリッド型があり、対面でもオンライン同時中継・ハイフレックスも考えられ、教員も初めての試みが想定される。定期試験に入学試験の試験監督、採点と続き、教員も大変なのである。

２０２１年2月10日　記

春の古書大即売会　2018年

2018年5月3日（木）憲法記念日　曇り

午後から京都市勧業館「みやこめっせ」へ出かける。京都古書研究会40店舗が出店。書籍50万冊が並ぶ。多数の本好き老若男女が集まっている。外国人も散見され、古い地図や絵図を買い求めている様子であった。目移りがして全部見てまわるには体力が要る。休憩場所が欲しいところである。

購入目録は以下のとおりである。

・『古書の味覚』山下武（青弓社　1993年1月）¥1,000（定価2,000）
・『アフリカ直射思考』白石顕二（洋泉社　1985年12月）¥800（定価2,000）
・『アフリカ人の生活と伝統』阿部年晴（三省堂　1982年8月）¥800（定価1,800）
・『カラハリ砂漠』木村重信（講談社　1966年5月）¥500（定価380）

・『田村隆一　エッセンス』青木健／編（河出書房新社　１９９９年２月）￥1,500（定価 3,800）
・『新潮日本文学アルバム　萩原朔太郎』（新潮社　１９８４年５月）￥300（定価 980）
・『文芸読本　萩原朔太郎』（河出書房新社　１９７６年６月）￥300（定価 780）
・「２０１８年　春の古書大即売会目録」京都古書研究会　￥500

京の街、夕暮れ時に美酒をもとめて――５時から「めなみ」（木屋町三条上ル）で〈温燗・よこわ造り・おから・小エビのかき揚げ・加茂なす田楽〉をいただき、６時から「Bar Alchemist」（先斗町）で一番客となり、バーテンダー吉岡智弘／Kamal（トルコ人）による〈楊貴妃・ダイキリ・アペロールサワー〉をたのしんだ。オーナー・マスターの朴さんは不在であった。残念。

付記

帰りに木屋町通の酒屋で京都製造ドライジン「季の美」を購入する。ついでに言えばジンはオランダ発祥と言われ、イギリスタイプが主流ながら最近増えた日本製も良い。

竹林館祭　2019

於　大阪キャッスルホテル／2019年6月9日（日）16時開演

著者　1分間スピーチ

みなさんこんにちは。深尾幸市と申します。一般に人について知りたいことの三要素として、①何をしているか？　②どこに住んでいるか？　③年齢は何歳か？　があると思います。①仕事は、セミリタイアながら大学の教員で、国際経済、アフリカ事情などを教えています。②住まいは吹田市桃山台です。1970年から約50年間住んでいます。③年齢は、あと3ヵ月で80歳になります。アメリカの詩人・批評家マルカム・カウリー※が『八十路から眺めれば』の中で、老化の目安を「美しい女性と街ですれ違っても振り返らなくなったとき」「片足で立つことができず、ズボンをはくのに難渋するようになったとき」「笑い話に耳を傾けていて、他のことは何でもわかるのに話の落ちだけがわからないとき」を挙げています。私は、若い女性のみならずマチュアー女性にも関心があり、ズボンも片足立ちではけます。話の落ちも今のところやせ我慢ながら理解できているつもりです。

さて、昨年出版の『私のアフリカ、私の旅――繊維から教育へ、そして草の根ＮＧＯへ』の紹介ですが、三部構成となっており、「私のアフリカ」「世界を読む旅」「本を旅する」という構成で、２７０頁です。１９８０年から3年間、ナイジェリアに駐在したことが契機となり、定年後大学院でアフリカ研究を試みました。フィールド・ワークは、コンゴ民主共和国（旧ザイール）キンシャサのストリート・チルドレンを対象とした取り組みです。旅も好きで、短期間ながら毎年の海外一人旅を継続しています。近年ではエチオピア、ケニア、タンザニア、昨年は中米四ヵ国（パナマ、コスタリカ、グアテマラ、メキシコ）弾丸旅行をしました。また、読書も趣味で、「教育ＰＲＯ」に月一ですが書評を書いています。最後にもう一つの趣味、居酒屋巡りがあります。大阪、京都、東京の三都市50～60軒はありますのでお声がかかればいつでもご一緒します。宜しくお願いいたします。有難うございました。

※　Malcolm Cawley 1898.8.28 ~ 1989.3.27 詩人・批評家

「スタッフ・ベンダ・ビリリ」のリーフレット

新型コロナウイルスの影響で2020年3月から自粛生活を余儀なくされた。書斎の断捨離を実行し始めたところ、三輪バイクに股がるコンゴ人の写真が表紙の「BENDA BILILI !」のリーフレットと入場券が出てきた。そういえば、2010年秋、キンシャサのバンド「スタッフ・ベンダ・ビリリ」が来日し、9月29日に来阪した折、「コンゴリーズ・ルンバ」を聴きに堂島リバーフォーラムに出かけた。懐かしい。

併せて同年10月から、映画「ベンダ・ビリリ〜もう一つのキンシャサの奇跡／キンシャサの路上から始まった奇跡」も梅田ガーデンシネマで封切りされた。ポリオで五体不満足になり、車椅子や松葉づえに頼っている5人(メンバーは全員で8人)が、見かけや体の不自由を吹き飛ばし、どん底に生きる人々の人生や希望を歌う不屈の音楽グループの活躍である。フランス人映像作家ルノー・バレとフローラン・ドラテュライがこのグループに出会い、歌と音楽に魅入られ、シェゲにパパと慕われるリッキー、サントゲというブリキ缶の1弦ギターを巧みに弾くストリート・キッズのロジェとの出会いのなかで彼らのドキュメンタリー映画とアルバム制作を決意する。やがてフランスの音楽祭を皮切りにヨーロッパツアーが実現した成功物語である。２０１０年のカンヌ映画祭では大好評であった。堂島リバーフォーラムでのライブを堪能した後だけに映画も心底楽しめた。

　ちなみにライブ終了後、偶々ＭＢＳテレビのスタッフさんと出会い、「キンシャサのストリートチルドレンの研究」をしていると話をしたところ、翌日大学へ取材に来られた。番組「ちちんぷいぷい‥コンゴからやってきた８人の男たち」では、ストリートチルドレンの生まれる原因や子どもたちの夢を私のフィールドワークに基づくデータを加えて解説した。２０１０年10月13日にオンエアーされ、後日、旧知の友人や思わぬ方からＴＶで見たと連絡があり、ＴＶの威力を痛感した思い出がある。

２０２０年　蓋棺録

新年、明けましておめでとうございます。皆さん静かな新年を迎えられたことと拝察申しあげます。昨年はコロナで始まり未だその渦中、先が見通せません。心の痛む疫病災禍、早急にワクチン開発が期待されますが果たしてどうなるでしょうか。３月、コメディアン**志村けん**（70歳）さんが、４月、外交評論家の**岡本行夫**（74歳）さんがコロナ感染により亡くなり大きなショックを受けました。新年の話題としてはあまり相応しくないかもしれませんが、我が人生にとって様々な角度から影響を受けた多くの方々を偲んで振り返ってみようと思います。

「台湾民主化の父」台湾総統**李登輝**（97歳）（河崎眞澄『李登輝秘録』では台湾現代史の秘話、あの時代の台湾人と日本人の高い精神性を見事に表現している）。旧住友銀行頭取・日本郵政初代社長の**西川善文**（82歳）『ラストバンカー　西川善文回顧録』。元国連事務総長でペルー人**ハビエル・ペレス・デクエヤル**（１００歳）。１９８０年代ナイジェリア駐在時、日刊紙「Nigeria」に連日掲載されていたのが強く記憶に残っている。ゼネラル・エレクトリック社（ＧＥ）元会長**ジャック・ウエルチ**（84歳）。ノーベル物理学賞受賞者（ニュートリノの把握）の**小柴昌俊**（94歳）。劇作家・評論家、『柔らかい個人主義の誕生』の多才な**山崎正和**（86歳）には原点を触発された。「内向の世代」の作家**古井由吉**（82歳）。東京人、洒落たエッセイスト**坪内祐三**（61歳）『文庫本千秋楽』。劇作家**別役実**（82歳）。歌人**岡井隆**（92歳）。中国文学者**井波律子**（76歳）。『思考の整理学』（グライダー論）の**外山滋比古**（96歳）。歌舞伎俳優の**坂田藤十郎**（88歳）。俳優、石原軍団を率いた**渡哲也**（78歳）。英俳優ジェームズ・ボンド「００７」役**ショーン・コネリー**（90歳）。作曲家、「魅せられて」の**筒美京平**（80歳）。「石狩挽歌」で直木賞受賞の**なかにし礼**（82歳）。「北酒場」「喝采」の**中村泰士**（81歳）。ファッションデザイナー**山本寛斎**（76歳）、**高田賢三**（81歳）。名曲・「枯葉」の**ジュリエット・グレコ**（93歳）も良く聴いた。ギタリストの**エディ・ヴァン・ヘイレン**（65歳）。「こんにちは赤ちゃん」の**梓みちよ**（76歳）。米作家**ピート・ハミル**（85歳）の作品群『ニューヨーク・スケッチブック』からも刺激を受けた。青木富貴子（ジャーナリスト・作家）の夫でもある。

スポーツ分野では、プロ野球監督**野村克也**（84歳）。ファンであった中日の名二塁手**高木守道**（78歳）。筆者も勤めていたユニチカ勤務、バレーボール「東洋の魔女」の**井戸川絹子**（旧姓・谷田81歳）は１９３９年9月生誕。筆者と同年同月生まれである。貝塚工場での練習風景が目に浮かぶ。中学生時代にボストン・マラソンで優勝した**山田敬蔵**（92歳）。映画「心臓破りの丘」も熱かった。『ジャパン・アズ・ナンバーワン』の米社会学者**エズラ・ヴォーゲル**（90歳）。『寒い国から帰ってきたスパイ』の英スパイ小説家**ジョン・ル・カレ**（89歳）も。合掌。

２０２１年1月10日　記

第23回　民間外交推進協会（ＦＥＣ）関西国際セミナーの報告

―ナザルアーハリ駐日イラン・イスラム共和国大使をお迎えして―

民間外交推進協会（ＦＥＣ：The International Friendship Exchange Council）の関西支部ＬＦＥＣは、毎年神戸で各国大使、領事をお招きして新年会を開催している。また、各国大使、総領事に講演をお願いすることも多い。２０１６年9月16日は、大阪大学中之島センター「佐治敬三メモリアルホール」にて、レザ・ナザルアーハリ（Reza NAZARAHARI）駐日イラン・イスラム共和国大使にご講演をしていただいた。私が総合司会を担当し、緊張の一場面でもあった。主催者挨拶は民間外交推進協会・松澤建理事長。演題は「日本とイランの新たなる時代に向けて」。

講演要旨　イランは中東に位置する人口約８０００万人の国であり、15ヵ国と国境を接している。東西と南北を結ぶ地政学的に重要な位置にあり、20世紀の初頭、南部で石油が発見され、列強諸国のイランへの関心が高まった。しかしながら、これまで一度も植民地支配されたことはない。イランの２０１４年当時の非石油品の輸出総額は３６６億ドルあり、輸入総額は５７３億ドルであった。２０１６年になると非石油部門の輸出総額と輸入総額は入れ替わり、２０１４年と比べて輸出総額は約2倍になっている。最大の貿易相手国は中国で、約１００億ドルの輸出、約130億ドルの輸入がある。2015年の原油を含めた日本への輸出総額は35億ドル、輸入額は3億ドルに満たない。イランは歴史的に日本に対し安定的に原油を輸出してきた。1953年の日章丸事件（出光興産は、極秘裏にイラン政府と直接取引をして世界で初めて石油製品を輸入した）は有名である。日本に対する石油輸出の決済は円建てであり、イランは邦銀に石油代金を円で保有している。また、イラン国民は日本製品に対して信頼感が高く、親日感情も強い。大ペルシャ文化圏・3億人のマーケットに、イランからアクセスも可能である。日本企業が関与するイラン案件に、国際協力銀行（JBIC）が資金を支援し、この資金枠にイラン政府が政府保証を付ける、資金枠組みもある。近い将来、全ての障害が撤廃され、2国間の経済協力関係が本来あるべきレベルに引き上げられることが期待できる。

左端・筆者，中央・イラン大使

なお、懇談会は同センター「交流サロン」にて公益財団法人國民會館会長・元大和紡績社長の武藤治太氏の乾杯で開始、大使を囲み名刺交換や参加者相互の親睦を深めた。

レザ・ナザルアーハリ（Reza NAZARAHARI）
1962年生まれ。1991年アサド大学政治学修士号取得（イラン・テヘラン）、1995年ケント大学政治思想学科博士号取得（英国）、「外交政策"Foreign"」編集長、2012年9月から駐日イラン大使。

第21回　国際ボランティア学会大会の報告

日時　2020年2月22日（土）～23日（日）
場所　沖縄キリスト教学院大学

セッション：「アフリカ地域等」、「アジア地域」、「理論と実践」、「日本から／への発信」、「若者の活動」、「教育と研究」の6分野、32の研究発表がなされた。

一般公開シンポジウム：玉城デニー沖縄県知事による「沖縄から考えるＳＤＧｓ」に関する基調講演。中村安秀学会長がコーディネーターを務め、玉城デニー沖縄県知事、佐野景子ＪＩＣＡ沖縄センター所長、玉木直美沖縄キリスト教学院大学准教授の3名のパネリストにより「ＳＤＧｓ　誰一人取り残さない社会の実現」について討論が行われた。

一般公開ワークショップ：「人材育成とＳＤＧｓ」をテーマに、沖縄の教師（小学・高校）、地元新聞記者を通じたＳＤＧｓを活用した人材育成について発表された。

翌23日はエクスカーション。沖縄の海外協力支援民間企業として著名なトマス技術研究所（超小型焼却炉）、株式会社トリム（ガラス発砲軽量資材）を訪問し、持続可能な社会のために企業ができる新たなイノベーション施設の見学、関係者と対話をした。また途中、焼失後の首里城の見学を行った。復興中であった。

なお、第21回の学会賞については、隅谷三喜男賞：宗田勝也・山口洋典「声を伝える活動がもたらす新たな活動主体形成のプロセス——難民問題専門情報番組『難民ナウ！』を事例に」。村井吉敬賞：ペシャワール会（アフガニスタン難民支援／中村哲氏の遺志）を選考した。これにより個人的には、3年間理事として務めた選考委員長の任務を終えた。

2021年2月22日　記

首里城にて　左から藤掛洋子横浜国立大学教授、筆者、澤村信英大阪大学大学院教授

Chapter III

詩論・文学芸術論

The Never-Ending Search
for Human Relations and Global World
— Critic and Essay Collections of Koichi Fukao —

UTRILLO VLAMINCK OGUISS

少し蒸し暑い6月の半ば、久し振りにギャルリーためなが大阪（ホテルニューオータニ大阪）へ出かけた。20世紀のパリ、独自の画風を追求した三人の巨匠モーリス・ユトリロ（1883～1955）、モーリス・ヴラマンク（1876～1958）、そして荻須高徳（1901～1986）の接点とその影響に注目した展覧会へ。

20世紀初頭、芸術の都パリではキュビズムをはじめ美術運動が盛んとなり、若く才能に溢れた多彩な芸術家たちが世界中から集まり活躍した。１９０９年未来派宣言、１９１６年ダダイズム、１９２４年にはシュルレアリズムが誕生する。モンマルトルではモディリアニやピカソ、デュフィ、ドンゲンたちがアトリエを構えていたが、物価高騰により、移民芸術家たちが率先して、生活費の安価なモンパルナスに移る。モンパルナスではスーチンをはじめキスリング、シャガール、ドンゲン、藤田、ピカソ、ミロ、ジャコメッティなど、それぞれが独創的な才能を開花させていた。

一方で、こうした動向には関心を示さず、独自の画風の確立に力を注ぎ、個性的な世界を築き上げた画家たちもいた。ユトリロやヴラマンク。そしてこの二人に強い影響を受けた（含佐伯祐三）荻須もその一人であろう。

モンマルトルの街路や壁を哀愁と静寂さが漂う詩的な作品として描いたユトリロ。例えば

ヴラマンク「雪景色」

筆者とユトリロ「モンマルトルの風車」

「ガブリエル酒場」。人々の厳しい生活を思わせる自然の風景や静物などを力強いタッチと原色で描いたヴラマンク。白は白のまま厚塗りして存在感を強調する「雪景色」。

荻須高徳は、パリ下町の建物の壁、石畳の道に宿る人々の懐かしさや生活感を感じさせる作品を描き続けた。例えば「ラ・ポルト」。今回の〝ギャルリーためなが〟では、共にパリの古い街並みや郊外の風景を描きながら、各々独自の表現を築きあげた三人の作品30点に共通する重厚・深淵・哀愁を私は堪能して画廊を後にした。

私事恐縮ながら昔話にご寛容を。繊維会社に勤務していた頃海外出張時に、軽くて嵩張らないのでお土産にリトグラフを購入していた。財布の中味とサイズから小品ではあったけれど。ビュッフェ、荻須、デペルト、ジャンセンに無名の画家の作品も。ドイツ駐在時代にはパリ出張の折、サントノーレ、サンジェルマンデプレの画廊に立ち寄り棚から選別。１９８７年春、パリ郊外のサンドニの画廊で荻須高徳展が催され訪れた。たまたま他に来訪者なく受付の若い美人と話しながら写真撮影も許可され、独り占めの空間に至福を感じた思い出は忘れられない。

ギャルリーためなが　西洋絵画の名匠を扱う画廊として、１９６９年に東京・銀座で開廊した。PARIS AV. MATIGNON（1971）・ホテルニューオータニ大阪（1986）

「詩」について　―小さな想い出と昨今の想念―

詩人（竹林館社主）の左子真由美氏に著書出版の相談に出かけ、お目にかかったのは2017年5月であった。

総合詩誌「PO」を二冊いただいた。「詩の定義は何ですか」と質問したら、一瞬考えて「読むことです」と。少しはぐらかされたように感じたがこの言葉を反芻しつつ、「詩」に関する過去の想い出や最近の出版物を読みながら考え始めたことを書き留めておきたくなった。

詩との出会いは、中学・高校の国語の時間に学んだ島崎藤村、石川啄木、三好達治、萩原朔太郎などがきっかけで特に深く読み込んだわけではない。ノンポリ大学生の私は、専ら図書館で小説を読み、時々詩にも目を向けたように思う。内容はもう全く覚えていないが寿岳文章訳のブレイクやリルケ、ハイネ、コクトー、ボードレールなどが思いだされる。

特にコクトー（Jean Cocteau）の詩「耳」。たった二行の詩ながら心に響いた。

私の耳は貝の殻
海の響きをなつかしむ

Mon oreille est un coquillage
Qui aime le bruit de la mer

耳から貝殻へ、貝殻から海へ、海から波の響きへとつながる素晴らしさに。或いは「ロマンス」「僕の屋根が傾斜する。スレートはばら色、朝の仕業だ。セーヌ・エ・トアーズの春の日は　昔の方が華美だった・・・」。コクトーの魅力、その多才ぶりに興味を深めた一時期がある。詩人、小説家、劇作家、評論家、画家、映画監督、脚本家としての数々の活動、晩年も芸術的好奇心は依然旺盛で得意のデッサンを陶画に生かした陶器の制作や、地中海沿岸地方の山間のひなびた礼拝堂の壁画や内部装飾に熱を挙げたという。１９６３年10月にパリ郊外の自宅で心筋梗塞のため74歳で急死した。

ジャン・コクトー「青い天使」
1992 年制作

次に話題は飛ぶが、田村隆一「あばよ、カバよ、アリゲーター！」。

記憶が定かでないが１９９０年の春（？）山本夏彦『夢想庵物語』が第41回読売文学賞を受

賞しニューオータニで祝賀会が開催された。飛び込みで会場に入れてもらい多くの著名人をリアルに見聞した。メインテーブルで酔っ払って手におえない田村隆一も目の前にした。これが彼の作品に一層関心を掻き立てられた理由でもある。(余談ながら同席した出久根達郎にサインをもらい、籤に当たって万座の中で一言コメントを述べた記憶がある。)

田村隆一は1998年8月に食道がんのため死去した。翌年、青木健編『田村隆一エッセンス』(1999年2月)が出版され、後年京都の古書店で入手して読んでみた。私には難しい詩法・詩論は解らないが、例えば「見えない木」の詩にはリズムがある。

ぼくは
見えない木
見えない鳥
見えない小動物
ぼくは
見えないリズムのことばかり考える

更に飛んで最近話題の須賀敦子。彼女が義姉という高校の同級生が居て以前から会うと話題に取り上げ作品も読んできた。『ミラノ 霧の風景』『コルシア書店の仲間たち』などイタリアでの生活を題材にしたエッセイで知られる詩人でイタリア文学者須賀敦子が亡くなって今年で20年になる。その須賀が30歳の頃に自作した詩44編が昨年見つかり3月に詩集『主よ　一羽の鳩のために　須賀敦子詩集』として刊行された。生前の須賀と詩をテーマに対談した作家の池澤夏樹は「文学を愛する人は、詩でも小説でも一度は創作をしたいと思うもの。やはり詩を書いていたんだなと思った」と話している。「Ave Regina Caelorum」から。透明感が何とも言えない。

くちには
いっぱい
もいだばかりの

桃の実の
かほりを。

あたまには
しろと
黄金との
すいかずらの

花冠を

池澤夏樹と言えば、最近出版された『詩のきらめき』(2018年5月)について触れておきたい。

惹句から。「詩から詩へ、膨らむ言葉のイメージ。詩と詩の間に、ぽっと浮かび上がる青春、人生のかがやき。一冊の本の中に豊かに広がる、古今東西の言葉の持つ芳醇な世界。奔放な言葉の流れによってつむがれた、(中略)多くの詩を読む。」あとがきに出てくるのが「理想的な詩の初歩的な説明」(『谷川俊太郎詩集』)の中に「詩はなんというか夜の稲光にでもたとえるしかなくて そのほんの一瞬ぼくは見て聞いて嗅ぐ 意識のほころびを通してその向こうにひろがる世界を」が引用されている。

「詩を読む者がいつも感動を得られるとはかぎらない。状況によっては詩が放つ光が心の奥まで届くこともあるが、かすめて逸れることも少なくない。だから『きらめき』なのだ」と。「詩とは何か」今のところの解答である。

引用・参照
・堀口大學 訳『コクトー詩集』新潮文庫 1954年
・青木 健 編『田村隆一エッセンス』河出書房新社 1999年
・須賀敦子『主よ 一羽の鳩のために 須賀敦子詩集』河出書房新社 2018年
・池澤夏樹『詩のきらめき』岩波書店 2018年

彼のシャツ　ニール・ホール詩集から

移民排斥・ヘイトスピーチなど現代社会が抱える課題は多い。日本でも差別意識や偏見と向き合う意識が強く求められる。アフリカ系アメリカ人医師（コーネル大学・ミシガン州立大学・ハーバード大学医学部卒）で詩人ニール・ホール（Neal Hall）の詩集『ただの黒人であることの重み』（Weight of Just Black　大森一輝訳　２０１７年　彩流社）から標題について感じるところを述べてみたい。

コットンのシャツを
着ている彼
摘んだのは彼ではなく
私の先祖
摘み、織り、白いボタンを縫い付け
絶望の重みでしわを伸ばしたものを
彼が着る

そしてボタンを外し　奴隷だった私たちの母をレイプする

コットンのシャツを
着た彼は
袖をまくり上げ
サトウキビを手に取り
手元の端から甘みを啜りながら、
反対の端を骨がきしむほど私たちに打ちつける
肉が引き裂かれるまで何度も

もう四十五年も昔の話になるが、当時紡績会社に勤務しており、初めてアメリカ・セントラルベルトのエルパソ、ダラスなど綿作地帯を視察した折の印象深い光景を思い出す。広大な綿畑、汗まみれの黒人労働者が手摘みで綿花を収穫する作業姿に言われぬ哀愁を。彼らは季節労働者として南から北へ。蚕棚。流浪する。ニールの詩に戻れば先祖から虐げられた奴隷の歴史が語られる。人種差別は複雑で歴史を踏まえた上で向かって行かなければならない宿命みたいなものがあろう。この詩集には「大量のサメが動き回る／海ではなく陸で／だから海に向かって難民が逃げる／狂乱を生み出す血に飢えた土地から、そのとき／私たちは一人残らず手を血まみれにしている」《血に汚れた我らが手》があり、「僕と一緒に闘ってくれる人はいないのか」と叫び声が聞こえる。ここでは人種を中心とした社会問題が主題で、作風はストレート、アメリカ黒人として生きる限り、表現者としてそれを取り上げないわけにはいかない。人は、憎しみや罵り合うのではなく、摩擦や対立はありつつも力を合わせ、違いを尊重し、共にこの土地で生きていくのだ。そして自らの偏見や差別意識に向き合う覚悟を持って。人生を左右される不条理を、ニールの詩集から感じとってもらいたいと思う。人類の重荷が、少しでも軽くなるよう次世代に伝え続けなければならない。

横光利一　モダニズム幻想集『セレナード』

大正の終わりから昭和の初めにかけて「モダニズム」の時代が到来した。
「モダニズム」とは。広辞苑によると「哲学、美術、文学で、伝統主義に対立して現代的文化生活を反映した主観主義的傾向の総称。未来派・表現派・ダダイズムなどを含む。現代主義。近代主義。」では、ダダイズムとは、「第一次大戦の終わり頃、スイス・ドイツ・フランスに興った芸術上の主張。伝統的審美観に対して極端な反抗を試み、絵画・音楽・舞踏・詩歌などの限界を意識的に破壊しようとし、超現実主義を準備した。」

また、「モダニズム」は、橋爪紳也によれば、「一九二〇年代から三〇年代のあたり、世界中の主要な都会で、ほぼ時を同じくして、近代的、かつ都市的な生活文化が開花した時期にあたる。」「建築の領域でいえば、バウハウスでの建築教育の試み（中略）。美術の領域では未来派・表現主義・ダダイスム・シュールレアリスム・アブストラクトなどその展開も多彩である。デザインの領域でいえば、欧州で提示された芸術運動の新たな潮流をふまえつつ、アメリカの大衆文化と消費文化の市場あって登場した新しい表現ということができるかもしれない。具体的には機械を連想させる幾何学的で装飾の乏しいデザイン、流線型への憧れ、コラージュやモンタージュの技法などを例示することができる。」

こうした時代背景の中に登場し、今ではもう忘れ去られたかに思われる横光利一『セレナード』を読んでみた。筆者の学生時代、昭和三〇年代半ばではまだ横光利一は読まれていたように思う。モダニストの軽やかな孤独を。

収録作品

月夜／草の中／幸福の散布／頭ならびに腹／セレナード／表現派の役者――A humorous story／青い石を拾ってから／街の底／園／鼻を賭けた夫婦／美しい家／火の点いた煙草一名――煙草蒐集家の奇禍／盲腸／七階の運動／機械／薔／榛名

これら作品の初出は大正十年から昭和十年まで。長山靖生によって編まれている。

「横光利一の名前は新感覚派というレッテルと共に語られることが多く、日本の文壇、文学史では異端の刻印という側面もあった。モダニズム文学は当時の文壇文学の重鎮たちからは若者による奇を衒った一時的流行と見られがちだった一方、プロレタリア文学派からはブルジョワ的であると非難された。横光はそうした両面の無理解を真正面から受けて立ち、真に新しい文学の王道を拓くべく、実作と文学理論の双方で苦闘していたのである。」（編者解説）

さて、表題作の「セレナード」だがこの小説の内容は婚約者同士である若い男女が会話をするだけのものである。

「二人は終始言い争っているが、仲が悪いわけではない。二人がそれぞれに言い募っているのは『あなたは僕を愛してくれているが、僕のほうがずっと君を愛している』であり、『私は美人だけど、あなたは私に不釣り合いなくらいハンサム』という応酬である。痴話喧嘩ですらない単なる惚気だ。たぶんふたりは知的会話がしたいのだ。それも他の話題ではなく、二人の関係についての。（中略）ふたりは『安定は愛を殺し、不安定は愛を掻き立てる』というプルーストの言葉を実践しているかのようだ。」（同）

「モダニズムの時代的課題を真正面から受け止めた横光は、科学といかに取り組むかを自己の大きな課題としていた。当時、科学主義や構造主義といった主張が美術から建築、文学にまでまたがって唱えられており、またプロレタリア文学は社会科学という「科学」を主張する文芸運動として展開していた。この時期、一般に文学における科学主義というとマルクス主義文芸批評を意味した。」（同）

「真の意味で日本にはモダニズムは成立しなかった。もしかしたら欧米でも、モダニズムは野蛮で差別的な彼らの文化的身体の表面にスタンプされた意匠にすぎず、血肉にはなっていなかったのかもしれない。そんな世界にあって、普遍的でコスミックなモダニストであろうと苦闘し続けた横光利一の孤独は、痛ましくも毅然と輝いている。」（同）

横光利一は、ノーマルな恋愛感情を真面目に追及し続けた近代日本では稀な作家だった。また、好んで取り上げた「意識的偽善」は、その底にある「無意識の意識」である。このような恋愛小説は、戦後には井上靖や中村真一郎、辻邦生らに継承されたと言われている。ただ現在において読み直してみると流石にスローテンポと哀感は拭いきれない。とは言えモダニズム時代の懐旧の念もまた捨てがたいものを残している。

引用・参照

横光利一モダニズム幻想集『セレナード』長山靖生編　彩流社　２０１８年

橋爪紳也『モダニズムのニッポン』角川書店　２００６年

エイモス・チュツオーラ『やし酒飲み』

土屋　哲　訳・岩波文庫
2012年

筆者は1980年代初め、ナイジェリア北部カドナ州にあるアレワ紡績、紡績・織布・染色・加工一貫生産工場、従業員4000人の合弁会社に勤務した経験を持つ。この時代に読んだナイジェリア人作家、エイモス・チュツオーラ（Amos Tutuola）の『やし酒飲み』（THE PALM-WINE DRINKARD）を、今回の特集のテーマ（「ユーレイ・ghost」）を機会に書棚から取り出した。

「お化け」とは何か。「ばけもの、へんげ、妖怪、奇怪なもの、ばかでかいもの」と広辞苑にある。類語としては、「妖怪、変化、化身、幽霊、亡霊、幽鬼」などがある。

「わたしは、十になった子供の頃から、やし酒飲みだった。わたしの生活は、やし酒を飲むこと以外にはすることのない毎日でした」で始まる。「やし酒を飲むことしか能のない男が、死んだ自分専属のやし酒造りの名人を呼び戻すため『死者の町』へと旅に出る。旅路で出会う、頭ガイ骨だけの紳士、幻の人質、親指から生まれ出た強力の子……。神話的想像力が豊かに息づく」と惹句にある怪奇な物語が連続する独特のアフリカ文学作品である。粗筋を追ってみる。と言っても奇想天外な展開でまとめられないけれど。

15年間わたしのためにやし酒を造ってくれた父親が亡くなり、やし酒造りも死に、わたしは、「やし酒造り名人」を探しに旅に出た。わたし自身も神でありジュジュマン（juju-man- 魔法の力）である。そして「頭ガイ骨」、トカゲ、スズメ、火、などに変身して、森林、街、市場など探検の旅を続ける。「〈頭ガイ骨〉一家の家を求めて」「道路なし」「死者の町まで、森林から森林へと、密林づたいに旅をつづける」「幽霊島」「えじきの精霊」「不帰の天の町」「赤い町」「飢えた生物」「混血の町」。旅の途上出会った男の一例を挙げると「膝に目がくっつき、モモから腕が生え、おまけにその腕が足より長くてどんな木のテッペンにでも届くという、後ろ向きに歩く男（中略）。その怪物は、もっていた長いムチをふりまわしながら、気ぜわしく歩いていくわたしたちを追いかけてくるので命からがら駆け出した」がある。また、「精霊も生息する未知の森林は、ほんとに恐怖の場所である。」「神々 ghosts の住む森林 bush は、熱帯林の中核的存在であり、熱帯林の他の部分が耕作のために伐採されても、依然原初のままでとどまっている、人の入り込めない奥深く濃密なヤブである。」この'ghost'については、G・ムアが「かつてこの世に住んでいた個人の霊魂ではなく、他界に永住する住民のことで、生ある人間としての生活をしたことがないが、人間の生活をよく知っており、また人間の生活とたえず接触をもっている者」と説明している。終盤は少々飛ぶが最後は「奴隷が『天の神』の御前に御供物を運び、雨が三ヵ月間、いつものように整然と、降りつづき、その後飢餓は、二度とおこらなかった」と結ばれる。祈りは、自然の恵みと安寧を見届けると言うことか。

このように紹介しても今一つ伝わり難いと思われる。故に訳者解説からの引用を重ねる。「チュツオーラの世界は、人間と神が未分化の神話の世界、無気味さを秘めた暗黒の、戦慄の森林・ブッシュと、そこに棲息する悪鬼どもに象徴される威圧的な悪意にみちた自然に拮抗し、人間の尊厳と根源的エネルギーを誇示する世界である。つまり、『死』と『生』の間に立たされた人間が『変容』metamorphosisとディレンマ説話に内包する、部族伝承の叡智だというわけだが、そして事実やし酒飲みは、この二つを的確機敏にまさに芸術的完璧さで駆使して、いくたの危難を切り抜けるのだが、この『変容について』は、カフカのそれと対比させながら、その異質性を指摘している。」すなわち「人間は、自らの生命力を、魔法の力によって強化出来る。悪鬼の危害が迫ると、人間は、魔術によって、自分を他の姿に換えることができた。〈変形〉は、人間に護身の手段と同時に、魔法の力を示す能力を提供してくれる。(中略)カフカの場合、人間は、冷酷な〈運命の女神〉の、無力な犠牲者にすぎないが、チュツオーラの場合、〈運命の女神〉を打ち挫く、すばらしい魔法の力の誇り高き所有者である」と。

一方、多和田葉子による解説では、「この本に出て来る化け物たちは、怖いけれどもユーモラスで、必ずしも悪者ではない。時々『百鬼夜行』の絵を思い浮かべたりしながら楽しく読んだ。たとえば、何でも逆に行う逆さまの化け物などは傑作である。木に登るときにはまずハシゴに登っておいて、そのあとからハシゴを木にもたせかける」がある。

なお、チュツオーラは、１９２０年にナイジェリア西部、アベオクタで生まれ、父は、ココア園に働く農夫で両親ともにキリスト教徒であった。少年期ハウスボーイとして働きながら苦学し、父の死後、英国空軍部隊に勤務し、カジ屋開業を決意するも実らず、労働局の小使いとなり、退屈な時間を利用して紙のはしばしに物語を書き綴り、『やし酒飲み』の原本になったと言う。

最後に余談ながら、ナイジェリア駐在時代出張や休暇の折に各地を訪ね、ヨルバ・ランド、イフェ、オヨ、ベニンへも出かけた。当時深い知識があったわけではないが、イバダン大学、イフェ大学、ツイン・セブン・セブン宅（有名ミュージシャンで第二夫人が伝統的なろうけつ染め作家）などへも立ち寄り、ヨルバ族の美術工芸品見学もした。帰国後しばらくして、ノーベル文学賞受賞（１９８６年）のウォーレ・ショインカがアベオクタ生まれであることを知り、２０１８年10月京都で聴講した「アフリカの文学」は、印象深いものであった。

世界的ミュージシャンであるツイン・セブン・セブン夫人によるアフリカンプリントのろうけつ染

「ウィーン・モダン　クリムト、シーレ 世紀末への道」を鑑賞

19世紀末から20世紀初頭にかけて、ウィーンでは、絵画や建築、デザインなど新しい芸術を求めたウィーン独自の装飾的で煌びやかな文化が開花した。こんにちでは、「世紀末芸術」と呼ばれるこの時代に画家グスタフ・クリムト、エゴン・シーレ、建築家オットー・ヴァーグナーなどが登場しウィーンの文化は黄金時代を迎えた。２０１９年10月25日ウィーンの豊饒な文化を知るに相応しい国立国際美術館・大阪展へ。展覧会の構成内容と印象に残った作品の報告をしよう。

第1章　啓蒙主義時代のウィーン――近代社会への序章

女帝マリア・テレジアとその息子、皇帝ヨーゼフ2世が統治した１７４０年代から90年代のハプスブルグ帝国の首都ウィーンは、啓蒙主義に基づいた社会変革が行われた。宗教の容認、死刑や農奴制の廃止など改革を実行、自由な精神をもつ知識人たちを魅了し、交流の場となりヨーロッパ文化の中心地へと変貌した。

・啓蒙主義時代のウィーン／フリーメイソンの影響／皇帝ヨーゼフ2世の改革

第2章　ビーダーマイアー時代のウィーン――ウィーン世紀末芸術のモデル

ナポレオン戦争終結後の1814年からヨーロッパの地図が再編され、1848年の革命勃発までの期間は「ビーダーマイアー」と呼ばれ「家具様式」がこの時代の生活様式全般と精神構造を表すようになった。都市化と政治的抑圧が強い時代の反動から「私的な領域」へ向かい日常生活に実用的な美を見出すビーダーマイアーは、後のモダニズムのモデルになったという。

・ビーダーマイアー時代のウィーン／シューベルトの時代の都市生活／ビーダーマイアー時代の絵画／フェルディナント・ゲオルク・ヴァルトミュラー――自然を描く／ルドルフ・フォン・アルト――ウィーンの都市景観画家

〈フリードリッヒ・フォン・アメリング「3つの最も嬉しいもの」1838年〉

宮廷画家F・V・アメリングの作品、男女二人の精悍な顔つきにバラの花、白、青、黄のコントラストの衣装が鮮やかで印象深い。

第3章　通りとウィーン――新たな芸術パトロンの登場リンク

皇帝フランツ・ヨーゼフ1世の治世の間（1848～1916）に近代都市へ変貌し、リンク通りは19世紀のウィーンのシンボルとなる。沿道には古典主義様式の国会議事堂、ルネサンス様式の大学など歴史主義建築の建物が建設された。

・リンク通りとウィーン／「画家のプリンス」ハンス・マカルト／ウィーン万国博覧会

〈1873年〉／「ワルツの王」ヨハン・シュトラウス

第4章　1900年 世紀末のウィーン──近代都市ウィーンの誕生

カール・ルエーガーがウィーン市長として活躍した時代〈1897〜1910〉は、一層都市機能が充実し、交通機関も発展した。ウィーンの町並はヴァーグナーの建築によるものが多い。クリムトをはじめとする芸術家たちの実験的な精神や妥協のない創作が数々の傑作を生みだしたと言われている。

・1900年──世紀末のウィーン／オットー・ヴァーグナー──近代建築の先駆者／グスタフ・クリムトの初期作品／ウィーン分離派の創設／素描家グスタフ・クリムト／ウィーン分離派の画家たち／ウィーン分離派のグラフィック／エミーリエ・フレーゲとグスタフ・クリムト／ウィーン工房の応用芸術／ウィーン工房のグラフィック／エゴン・シーレ──ユーゲントシュティールの先へ／表現主義──新世代のスタイル／芸術批評と革新

〈グスタフ・クリムト「エミーリエ・フレーゲの肖像」1902年〉

代表作。上半分は濃いめの「舛花色」、下半分は「老竹色」に薄茶が混じった二層を背景に、赤の頬紅、深緑に大小黄色の斑点がちりばめられた衣装を纏った姿は一度観たら忘れられない。

〈エゴン・シーレ「自画像」1911年〉

シーレの意図的に捻じ曲げられたポーズの人物画が多数制作されているが、「自画像」も強烈な直截的衝撃を受ける。
なお、このコーナーには、オットー・ヴァーグナーによる王宮厩舎、鉄道、郵便貯金局、博物館などの設計計画の写真や印刷が多数出展されていた。

余談ながら同窓・同期入社の友人に自身も絵を描き造詣の深い谷彰通君がいる。永年時々誘い合って大阪、京都の美術館や画廊へ出かけ、帰りは名酒・名料理の居酒屋で一献傾ける。鑑賞後の感想、近況報告を語り、実に楽しく心地よいひと時である。今回は本町の「うつつよ」でした。

グスタフ・クリムト（Klimt, Gustav）1862～1918 画家
ウィーンの装飾美術学校卒。印象派とアールヌーボォーの双方の影響を受けながら、曲線と平坦な色面が奇妙に調和した独特の様式を確立。その主題は象徴主義的であり、画風は装飾的だが、全体的に世紀末風の退廃感が強い。
エゴン・シーレ（Schiele, Egon）1890～1918 画家
ウィーン美術学校卒。ウィーン分離派運動に参画して表現主義的な絵画を描く。内向的性格からフロイトに心酔、愛と死を主題として人間の内面描写に肉迫する。

グスタフ・クリムト
「エミーリエ・フレーゲの肖像」
1902 年

参考文献
国立国際美術館　大阪展　ホームページ
『コンサイス外国人名事典』（三省堂　２００５年）

パトリス・ルコント
―「髪結いの亭主」に魅せられて―

映画はフランスで始まったと言われ、アメリカの華やかさはないが渋い物が多いように思う。もう30年も前のことながら数年間フランス映画に夢中になった時期がある。１９９０年代の初め、北浜にあった三越劇場が取り壊される前で、パトリス・ルコント（Patrice Leconte）に魅せられて。「仕立て屋の恋」（１９８９年）、「髪結いの亭主」（１９９０年）などウェルメイドな作品がその代表であった。しゃれた会話、喜劇と苦渋をまぶしたストーリーだった。当時、パトリス・ルコント以外の作品も観ていたが、強く印象に残っている「髪結いの亭主」を取り上げてみた。

「髪結いの亭主」（１９９０年）

日本で最初に公開されたパトリス・ルコント作品。監督の名を日本に知らしめた作品。概要は幼少時に床屋の女性との結婚を望んだアントワーヌが、成人して美しい理髪師マチルドと運命的に出会い、二人は生涯を共にすることを誓う。官能的な題材を色味の柔らかな映像で描き出した大人のラブストーリーである。少年期の経験から、床屋の女性に憧れるアントワーヌは、美しい理髪師の妻マチルドを日がな一日眺めて暮らしている。マチルドの一挙一動に見ほれながら過去を回想する。少年時代、アントワーヌは理髪師のシェーファー夫人に恋し、しょっちゅう店に通って散髪していた。結婚したいと夢を語り父に激怒された。やがて中年半ばにアントワーヌは一人で切り盛りしているマチルドに出会う。幼くして天涯孤独の身となったマチルドは上司のイシドールに気に入られ、店を譲り受けた。結果アントワーヌとマチルドは結婚する。二人は毎日理髪店で穏やかに過ごしている。愛に満ちた閉鎖的な暮らしをこの上なく愛している。しかしマチルドは老いていくことを恐れ始める。二人は情熱的に愛し合う。そして、傘も差さずに雨が降りしきる外へ飛び出し心配そうに見送るアントワーヌ。マチルドは町の外れの橋へ行き、増水した川に飛び込んで自ら命を絶つ。近い将来、老いて醜くなり、アントワーヌから愛されなくなることを恐れたマチルドは、幸せの絶頂にあるうちに自死しようと決意していた。マチルドの遺書を

「髪結いの亭主」
"Le Mari de la coiffeuse"
（MOVIE WALKER PRESS より）

読み、アントワーヌは、呆然とする。

マチルドの死後も、アントワーヌは以前と同じように店のソファに腰かけて一日を過ごしている。ある日アントワーヌがクロスワードパズルを解いているところへアラブ系の男性が散髪のために店にやってくる。アントワーヌは、マチルドの見様見真似で客の洗髪をする。客を座らせてアラブ音楽をかけて踊りだすがいきなり曲を止めて、妻は「もうすぐ戻ってくる」とだけを客に告げて再びクロスワードパズルに取り組むのがラストシーン。

淀川長治は、「甘く、ほろ苦い人生のスケッチ」と評しているが全く同感である。

上映時間80分と長くはなく、如何にもフランス映画、マチュアーな男と女の交差、「奥深い人生」を満喫させた。「心に残る映画」所以である。

余談ながらもう60年も昔、学生の頃、フランスのヌーヴェル・ヴァーグが話題となり、日本でも大島渚（「青春残酷物語」「日本の夜の霧」）、吉田喜重（「ろくでなし」）、篠田正浩（「乾いた湖」）などがあったように記憶する。その後長い間、映画を見なかったけれど、最近は、NETFLIXにより自宅で容易に映画を見ることができる時代。例えば「Bohemian Rhapsody」(2018)、「Green Book」（2018）、「BlacKkKlansman」（2018）、「Believe」（2019）、「The Irishman」（2019）などを観ている。神韻縹緲。

堀口大學詩集の中に見る一片のエロス

書棚の端に小冊子『堀口大學詩集』が覗いていた。何気なく手に取ると好都合にも裏表紙に特集「詩とエロス」に相応しい一文が眼に入った。「エロスを愛で、ロゴスを育む――堀口大學の文学を貫く不易の詩精神である。そしてこれは畢竟、人間を愛することにほかならず、詩を創り出す詩である人間、〈美しいもの〉である人間とみる、偉大なヒューマニティーなのである。堀口詩が時にしばしば余情掬すべき相聞のうたとなり、あるいはせつせつたる念慈歌となり、さらにはミューズへのほがいうたとなる所以であろう。・・・そしてロゴスとエロスのあわいにかかる堀口大學の詩の虹は、ついぞ消えることはあるまい。（平田文也）」。読んでみた。詩論「饗宴にエロスを招いて」から。

ジャン・コクトー「少年水夫」やヴェルレーヌ「貝がら」の作品に見られるように桃色の貝がらや暗紫色の貝がらに彼らは悩み続けた。コクトーの詩に

黒んぼ美人は半開きの服箪笥
中には濡れた珊瑚がしまってある

アンドレ・ロートの挿絵に服箪笥のやうにどっしりした分厚な大柄な黒んぼ美人を描いて、濡れた珊瑚もさぞ尤物だらうと思はせるやうにかいてゐる。この詩からは、マルセイユあたりの船乗り相手の黒い娼婦が、お行儀わるく腰かけて、股もあらはに、大事なものをのぞかせている姿が想像される。御承知のやうに黒人種は、身体ぢゅう何処もすべて真黒だが、ただ掌と、足の裏と、口中及びその他の粘膜だけが桃色をしてゐる。だからこの黒い半開きの服箪笥の奥には、濡れた珊瑚が隠してあるわけになるのだ。

同じくコクトーの詩に

黒人（くろぼう）の兵隊さんが眠（やす）んでる
その傍でドニーズはこころしみじみ眺めてる
自分のあそこを撫でたので
それでそこだけ桃いろにぱっと染まった
男の掌（て）

この詩は、白人の娼家へ、黒人の兵隊さんが登楼した折の、情景を歌ったものだ。ドニーズとあるのは相方に出た白人娼婦の名であろう……。

何と深遠でエキゾチックな感覚美を捕らえたエロチシズムではないだろうか。

ちなみに続いて読んだ『季節と詩心』に長谷川郁夫が「堀口大學はエロスの詩人であり、ウィッティシズム（諧謔）の詩人とされる。青年大學は、西洋の画家たちが画架の向こうに裸体のフェミニン・ビューティを発見したように、言葉で女性の身体を讃えた。美しいものには触れてみたいとする詩語の願望が、乳房を、そして恥部までも愛撫したのだった。」と述べている。

参考文献
『堀口大學詩集』現代詩文庫1019（思潮社　1980年）
『季節と詩心』堀口大學（講談社文芸文庫　2007年）

思い出ライブ　イシハラホールとブルーノート

イシハラホール

大阪・肥後橋のイシハラホールへは1990年代、開館から閉館まで会員として参加した。座席数250のシューボックス型。ホールのホワイエはチェコ製一枚ものの絨毯が素晴らしく、「吸音反射可変機構」による響きは独特の空間であった。至近距離からのイシハラ・リリック・アンサンブルや弦楽四重奏などの演奏を楽しんだ。当時の総合プロデューサー（元NHK）戸祭鳳子さんはどうされているだろう。

さて、2000年9月イシハラホール7周年記念寄稿掲載の小冊子が残っている。「池辺晋一郎・〝バッハ先生カンタータの夕べ〟に出かけ、記念企画に応募した。『ブランデンブルク協奏曲』を聴き始めたのは何時頃からだろうか。良く聴いたのは、デュッセルドルフに駐在した15年前。カラヤン指揮、ベルリンフィルハーモニーのLPレコード。（中略）ライトブルーに白抜き『J.S.BACH』の大きな文字が懐かしい。『マタイ受難曲』『ルカ受難曲』（チュービンゲン版）。『ブランデンブルク協奏曲』の特に好きなところと言えば、僕の場合第2番へ長調。第1楽章のトランペットの躍動感に充ちた力強さから一転して、淋しげなフルート、ヴァイオリンの抒情的な流れに変わる第2楽章の辺り。そして第3楽章に入ると軽快、華麗なフーガを展開していく様は、何度聴いても胸にジーンと来るものを感じる。」

ブルーノート

2017年3月8日。ニューヨーク、グリニッチ・ビレッジ。Keyon Harrold & Friends "The Future of the Trumpet" でWynton Marsalisが激賞したトランペッター（セントルイス出身）。座席は最前列左端。キーヨンの汗がシャンパングラスへ飛んできそうな至近距離。迫力。演奏開始前に隣席の米婦人に話かけられた。ご主人は元カイロ駐在外交官。パリからの友人2人と隣家の2人を誘い6人で来たと。大阪のブルーノート時代を思い出しディジー・ガレスピーのトランペット演奏などを話題に談笑。日本人相手に興味を抱き楽しんでいる印象だった。当夜の出し物、'Keyon Beyond'（?・）曲名定かでないが、ワインに酔いしれ激しく流れる演奏を満喫したニューヨークの夜であった。

2006年大阪・西梅田のブルーノートが閉館されるまで時々出かけた。記憶に残る出演者、ディジー・ガレスピー／渡辺貞雄／ブラザーズ・フォー／小野リサ／ブリンドル／カーラ・ボノフ（フュージョン）など。カーラ・ボノフと言えば、レコードの美人ジャケットが気に入り、ナイジェリア赴任時には持参、額に入れてリビングに飾っていた。加えて2005年7月、来日ライブに出かけ偶々通路側の席に座っていたので握手する機会も得た。得意満面。

水了軒の八角弁当

角野卓造（「渡る世間は鬼ばかり」・俳優）は、新幹線で東京から京都へ向かう時、東京駅地下で中華『過門香』の「五目あんかけ焼きそば」、単品「麻婆豆腐」と「タカラCanチューーハイ」のロング缶。更に『はせがわ酒店』で丸氷がひとつ入ったプラカップ（300円）。新幹線に乗り込むとすぐ靴を脱いで、岡山の『エクセルホテル』で売っている畳のスリッパに履き替える。発車した瞬間にプシュ。さすがにやりますね。

また、坪内祐三『大阪おもい』（2007年10月）の中に「大阪の楽しみの一つに、水了軒の駅弁がある。大阪に行って大阪で過ごしていると、おいしいものがたくさんあるから、店で食べちゃったりするじゃない。夜を食べて、遅い新幹線で帰ってきたりする。駅弁を買って帰るタイミングが難しくてなかなか食べられないんだけれど。水了軒といえば、汽車弁もさること

ながら、トンカツ弁当も独特のおいしさがあるんだよ」（2020年1月61歳没）。

僕も新幹線で東京に出かける時は、随分以前から仕事であれ旅であれ、できれば水了軒の八角弁当（税込価格1131円／2020年1月現在）とビールロング缶を買う（時間帯により未入荷であったり、売り切れて無い場合があるけれど）。弁当の裏にラベルあり。俵ご飯（米：国産）、赤魚味噌拓庵焼、煮物（鶏・里芋・茄子・高野豆腐）、出巻玉子、白花豆、鳥賊雲丹焼、昆布巻、しば漬け、生酢、その他付け合わせ（原材料の一部に小麦・卵・乳・エビ・大豆・りんご・鶏・鯖・イカ・ごまを含む）。京都を過ぎて隣の席が空いて居ればラッキーとおもむろに弁当に箸を付けることになる。かまぼこから始めて昆布巻き、濃い味の鶏を経由してしば漬けか。最後の一口を食べ終えるのが名残惜しい。本当に美味しいね。車内販売のコーヒーも良くなった。

少し仮眠して後は読書。アッという間に東京駅。小幸福の東京行きである。

仙厓義梵の言葉から始まって

通っている整形外科医院の受付に大きな文字で次の言葉が掲げられている。「六十歳は人生の花。七十歳で迎えが来たら留守だといえ。八十歳で迎えが来たら早すぎるといえ。九十歳で迎えが来たら急ぐなといえ。百歳で迎えが来たら、ぼつぼつ考えようといえ。」とある。調べてみると、江戸時代の臨済宗古月派の禅僧・画家で仙厓義梵（1750・4～1837・11、美濃國武儀郡生まれ）の作である。81歳の筆者が時々考える「老いについて」、たまたま或る新聞を読んでいたら「18歳と81歳の違い」なるコラムに目がとまった。「道路を暴走するのが18歳、逆走するのが81歳。心がもろいのが18歳、骨がもろいのが81歳。恋に溺れるのが18歳、風呂で溺れるのが81歳。恋で胸を詰まらせるのが18歳、餅で喉を詰まらせるのが81歳。自分を探しているのが18歳、みんなが自分を探しているのが81歳。東京オリンピックに出たいと思うのが18歳、東京オリンピックまで生きたいと思うのが81歳。社会に旅立つのが18歳、あの世に旅立つのが81歳。早く『20歳』になりたいと思うのが18歳、できれば『20歳』に戻りたいと思うのが81歳。（以下続くが省略）」。いささかシリアスではあるが言いえて妙と笑ってしまった。けれども我身体の日常はボロボロ、例えば白内障、歯痛、痛風、腰痛、糖尿病、高血

1985年ハンブルグの骨董屋で見つけたワゴン

圧、中性脂肪、コレステロール、不整脈と対策治療が濃淡はあるにしろ迫ってきて面白がっているわけにもいかない。まずは身体の維持に留意し、「不在の過去」や「不在の未来」でなく今を楽しく少しでも輝く日々を過ごしたいものだ。

From the word of Sengai Gibon

These words are hanged up at the clinic reception that I go to: "60 years old is a flower of our life. If death comes to you at 70 years old, say that you are not still there. If it comes at 80 years old, say that is too early. If it comes at 90 years old, say do not hurry. If it comes at 100 years old, say that I'm about to think of going." Looking deeply, this is a work of Sengai Gibon, a Buddhist priest of the Rinzai-Kogetsu Zen Sect (1750.4 ～ 1837.11、born in Mino-kuni) . About "being old" that I am now, 81 years old, I read a newspaper column, "the difference of 18 years old and 81 years old" caught the attention of me when I read a newspaper. It says, "18 years old drives recklessly, 81 years old drives in the opposite road. 18 years old has a fragile heart, 81 years has a fragile bone. 18 years old chokes his heart on love, 81 years old chokes his throat on mochi. 18 years old looks for oneself, everyone looks for an 81-year-old person. 18 years old wants to join the Tokyo Olympics, 81 years old wants to live until Tokyo Olympics. 18 years old sets out on a trip to society, 81 years old goes to heaven. 18 years old wants to be 20 as soon as possible. 81 years old wants to be back to 20 years old if he can…". The rest is omitted. Even though these can be taken seriously, I involuntarily chuckled because this is funny. But this is not funny because my body is old and almost broken, in fact, I may have gotten a cataract, toothache, gout, backache, diabetes, high blood pressure, neutral fat, cholesterol, irregular heartbeats although seriousness depends on each illness. So, I would like to try to keep a health body and have fun with the present shiny days up until I can.

■ 訳者　オリバー・ベラルガ（Oliver Belarga, Ph.D.）
関西大学　教育推進部　特別任用准教授

立原正秋／丸谷才一／開高 健

詩誌「ＰＯ」１８０号特集「記憶・ことば・モノ」のお題を知った時、何の脈絡もなく想起されたのが「記憶」では吉田健一か立原正秋であり、「ことば」は谷川俊太郎か丸谷才一であり、そして「モノ」は何と言っても開高健だろうと。

記憶

記憶の過程は記銘、保持、想起、再生、再認、再構成、忘却という流れになっていると言われる。何の根拠もないが突然思い出した。２００４年9月に韓国は大田の鉄画粉青沙器、李在晃（陶藝家家元・村長）の窯元を訪ねた。李氏は中国、韓国で作品展を継続し有田焼の元祖の系譜と言う。「鶏龍山　粉青」とも呼ばれる鉄画粉青沙器は、１４８０年〜１５４０年ごろに制作された。この地は日本陶磁器の祖となった李参平を排出した韓国有数の陶磁器の産地である。購入した薄茶色の皿一品は、鶏龍山陶藝村の「晃土房」で作られたものでサインもいただき、貴重な記念品になった。この記憶の連鎖から別段陶磁器に詳しいわけではないが、大阪中之島に静寂さが気に入り時々訪ねる東洋陶磁博物館・安宅コレクションがある。立原正秋『旅のなか』に高麗李朝十選があり、最初に選ばれたのが青磁陰刻牡丹蓮花文面取鶴首瓶（朝鮮・高麗時代12世紀、高さ36・7センチ）。「面取だが柔らかいふくらみがあり、首の方ですこし右方にねじれている。このねじれが面白い。ねじれをいびつとみてもよい。味がある。陰刻も美しい。ながめていると、首のねじれ方が道を歩いている三十女がふとたちどまり、ちょっと後ろをふりむいた、といった風姿である。私ははじめてこの瓶とであったときこんな女が目前に現れたら弱ることになるぞ、と思ったものである。」面取鶴首瓶には何度も対面した。美しい。回顧回想。

ことば

丸谷才一の『文章読本』の中に「詩は言葉で書くとマラルメは教へたさうだが、同様に文章は言葉で書く。（中略）ハムレットではないけれど、言葉だ、言葉、言葉。それゆゑ文章にすぐれた人はみな語彙が豊富で、語感が鋭く、言葉に対する愛着が深いのである。たとへば清少納言。『枕草子』の有名なものづくしは、視点を変へて言えば名詞づくしといふことになるわけで、あれは固有名詞（「小倉山。鹿背山。三笠山。」以下略）と普通名詞（「郭公。水鶏。都鳥。」以下略）との魅惑にとりつかれた者でなければ書けない本だった。またたとへばジョイス。彼はダブリンといふ多国語的な都市に育ち言語を多層的に聞き取る感覚を養つた。（以下略）」。更に注目したいのは丸谷才一が述べている森鷗外の『羽鳥千尋』の中の次の個所である。「私は好きな詞がある。廃墟、暮春、春鳥、埃及、壁畫、藝術、故郷、刀、革、甕、踏青、種を蒔く、その外イタリア、スパニアの地名、梵語、僧の名などである。私の妹は詞の好悪が一層強烈で、槲と云ふ一語に並ぶ好きな語はないと云ってゐる。」ちなみに丸谷才一と言えば、私は、昔銀座のクラブ「グライエ」のママを通じて入手したサイン本『横しぐれ』(ほととぎす中洲のそらの宵じめり　才一)句入りを始め8冊を所持する。多芸多才な丸谷。言語愉楽。

モノ

2003年4月に神奈川県・茅ヶ崎に「茅ヶ崎市開高健記念館」が開館した。その年11月初旬、明治学院大学での国際ボランティア学会参加に合わせて記念館を訪れた。白いモダンな建物の庭には水仙が咲いており、部屋には数々の遺品がある。キング・サーモン、チョウザメ、ニジマスなどのはく製、毛鉤、ルアーやリール、トランク。愛用した帽子、メガネ、サングラス、鞘付ナイフ、集められた灰皿、パイプ立て、ダンヒルのウイーク・パイプ、名入り原稿用紙とモンブランの万年筆、セーター、表札、カレンダー、ロンジンの懐中時計、置時計、双眼鏡、水筒、ヘルメット、トリスウイスキー。「長い旅を続けて来た。時間と空間と、生と死の諸相の中を。そしてそこにはいつも、物言わぬ小さな同行者があった。『生物としての静物』。」私は時を忘れてこれらに見入り開高の世界に浸っていた。ついでに余談ながら開高が背中のペインに苦しみ、近くのスポーツジムで水中歩行を終えて帰りに通ったという「そば処江戸久」も訪ねた。当日客が少なく開高の定席に座り、おかみさんからエピソードを聞いた。コロッケを持参しソースを所望され、ざる大盛を食べていたと。語彙にもこだわった開高。記憶満杯。

引用・参考文献

立原正秋『旅のなか』角川書店　１９７７年8月
丸谷才一『文章読本』中央公論社　１９７７年9月
『新潮日本文学アルバム52 開高健』新潮社　２００２年4月

『私のアフリカ、私の旅
——繊維から教育へ、そして草の根NGOへ』
読書感想

寄せられたお手紙から、一部抜粋して掲載させていただきます。（順不同・敬称略）

◆人類のゆりかごであるアフリカからのホモサピエンスの旅をグレートジャーニーというそうですが、深尾さんの半生の「グレートジャーニー」をたどることができるような書物だなぁと思いました。特にアレワテキスタイルズ時代のナイジェリアのことも知ることができ、勉強になりました。

落合雄彦（京都市）

◆装丁も素晴らしくとても気に入りました。カラッと乾いたアフリカの大地と人々の写真、黄色い帯の「熱い」アフリカ、表紙をめくれば、赤土でしょうか、それとも沸き立つ血を表した色でしょうか。すごく印象に残る感じです。アフリカの地図を眺めながら、深尾様の旅、

グレートジャーニーを追体験できると、読むのがとても楽しみです。　中田哲三（東大阪市）

◆はじめまして。貴本『私のアフリカ、私の旅』拝読させていただきました。実は私は子供のころ、父がアレワ紡績に勤めていたので、家族で60年代の終わりから70年代前半までカドナに在住しておりました。また私は深尾様の大学の後輩（関西学院大学）でもあります。アレワ時代は素晴らしい思い出でいっぱいで、貴本楽しく拝見させていただきました。

井谷善恵（東京藝術大学）

◆この度は『私のアフリカ、私の旅』をご恵贈賜りありがとうございます。家内は真新しい本を手に「表紙が素敵だ!!」と声をあげておりました。構成にはいろいろご検討されたのでしょうが、（まだ内容は読ませていただいておりませんが）深尾様の後半生のご経験がそれぞれ凝縮され読者にとって自然に整理されながら読破できるようになっている素晴らしい手法と感じます。

私は拝読するにあたり勝手ながら、1、赤　私のアフリカ　2、青　世界を読む旅　3、白　本を旅する　と色付けをしてしまいました（考えてみるとオランダ、フランスの国旗の色ですが……）。読後感として、その色が適当であったかどうかも考えてみようと思いつつ、楽しませていただきます。

高橋謙二（川崎市）

◆このたびは、『私のアフリカ、私の旅』というご立派な本をご贈呈いただき恐縮に存じます。過日、多摩美術大学美術館にお越しいただいてからの深尾様の行動力に頭が下がります。また、「ザンジバル島で白石顕二さんを思う」とわざわざ紙面をとっていただき、感謝いたします。実は三月二〇日が白石顕二の誕生日でしたので、特に白石が生前生命を捧げたアフリカへの〝志〟を書き込んだ古い本を読み返してみました。

白石富美子（東京都）

◆繊維・教育、草の根ＮＧＯのそれらを貫く本の世界の探索のごときは赤い糸というべき「旅」という横糸で見事統一されている。即ち「経糸」としての異質な世界の数多くの体験と学習や思索が「横糸」としての「旅」となり縦横交織し「人生の旅」として出来上がりこの旅を楽しみつつ継続していく。そんな構成がこの本によって整理されているので貴兄の人生は楽しくて仕方がないということになっていくのだなと私なりにこの本を読んで納得しました。

竹尾徳治（大和高田市）

◆旅は日常性から心を開放してくれます。『人生論ノート』の中で、三木清が旅について触れています。「真に旅を味わいうる人は真に自由な人である。旅する事によって、賢い人はますます賢くなり、愚かな者はますます愚かになる。──人はその人のそれぞれの旅をする。

旅において真に自由な人は人生において真に自由な人である」この文脈そのものが深尾さんその人だなと思いました。(略)人間のきっかけは不思議なものですね。ナイジェリア×西ドイツ×城南学園から大阪大学、そしてアフリカ学から、テーマを絞ってNGOへの転身・ドラフティングは、生涯学習とキャリア論の見本です。(略)「本を旅する」のRogationist College の蔵書贈呈、「深尾文庫」は素晴らしいメモリー資産です。

山下正紀(高槻市)

◆本にまとめる作業というのは、知的作業でありながら肉体労働にも似て、なかなか大変だったろうと思います。根気づよく、丁寧に仕事されたことが、よくわかります。

中村安秀(東京都)＊阪大大学院の恩師

◆「アフリカの諸問題と日本の関係」は〝アフリカの諸問題〟を、現状、政治、経済問題、アフリカ援助の課題の各面から簡潔にまとめられて認識を深めました。〝日本とアフリカの関係〟は関心を持っていますが、日本政府の対応の歴史と、TICADの概要を知りました。政府、外務省の政策推進の重要さと共に、NGOの活動の重要さもご指摘の通りだと思われます。(略)テレビ、新聞の当事者の主張と、それに見合ったような専門家、コメンテーターの登場で、世論が形成されていくような傾向に違和感を持つことが増えていますが、本著がそれに対する示唆を与えてくれるような想像をしています。

今大路昂平(芦屋市)

◆ It is said that travel is the biggest book of the world. Read "My Africa, My Journey" to discover the extraordinary experience of author who toured the world with several visits to the African continent from the North to South, and East to West. The author capitalizes on the joys and difficulties of working with and sharing with Africans he met both in japan and in Africa, first as an executive of a private company, and then as researcher on Street Children and NGO volunteer. A good reference for those who love Africa and are considering to discover the continent.

Bukasa Kalubi（豊中市）

Chapter IV

書評

『歴代首相のおもてなし
晩餐会のメニューに秘められた外交戦略』

西川　恵著

（宝島社　2014年5月）

「プーチン、ブッシュ、シラク……どんなVIPも酒とメシで本音がポロリ！」と安倍、小泉、菅……、首相晩餐会の秘話の面白くて興味深い外交戦略が満載されている。

著者は、毎日新聞テヘラン、パリ、ローマの特派員、外信部長、専門編集委員を経て、現在客員編集委員。『エリゼ宮の食卓――その饗宴と美食外交』『饗宴外交――ワインと料理で世界はまわる』など、ワインと外交に関する話題の中に鋭いテーマがあるとして著してきた。評者は永年注目し、愛読している。饗宴はくつろぎのひとときであるが、そこにはホストの様々なメッセージが込められている点が凄い。

本書の構成は14章立てである。

第1章　安倍首相のおもてなし

第2章　小渕首相――饗宴外交の神髄――

第4章　宮中晩餐会
第5章　小泉首相の「感動」饗宴
第8章　外国首脳が和食を選ぶ理由
第9章　日本ワインはいつから
第13章　「首相官邸の料理」で日本食文化を発信

と、目次を眺めれば内容も想像できそうである。

・**小渕首相の遺志を継いだ沖縄サミット晩餐会**での森首相の歓迎は、シュレーダー首相やクリントン大統領などのワイン愛好家が楽しみ、シラク大統領は「こんな素晴らしい晩餐会は初めてだった」と語ったという。

・**宮中晩餐会**を催すのは国賓として招かれた人に限られる。国賓が宿舎とする迎賓館、もしくは皇居のいずれかで、天皇皇后両陛下、皇族、首相、官僚らが出席して行われる。座り方も仕事が目的でないので日本側と外国側の招待者が互い違いに着席し、室内楽も入り、国歌演奏も行う。饗宴は4時間を超える。１９９８年の韓国の金大中大統領を招いた宮中晩餐会では、例外的にスープが出された――「未来志向の日韓関係」と――。

さて、本稿でメニューを紹介しないわけにはいかない。

・小泉首相がシラク大統領からフランスで受けた破格のもてなし。２００１年7月、エリゼ宮にて。

〈料理〉

海ザリガニのショウガ風味，子羊の股肉の衣揚げ，サラダ，チーズ，ババリア風チョコレートのデザート

〈飲物〉

シャトー・タルボー・カイユー・ブラン　１９９7年，シャトー・シュヴァル・ブラン　１９８6年，シャンパン　サロン・ル・メニル　１９８５年

（シュヴァル・ブランはフランス語で白馬。小泉氏は１９４２年生まれの午年。午と馬をかけたのだ。）

・スペインのラホイ首相歓迎晩餐会。地球儀外交を進める安倍首相が中南米に強い影響力をもつスペインを念頭においたラホイ首相への晩餐会も秀逸である。２０１３年10月、首相官邸にて。

〈料理〉

先付：フォアグラ茶碗蒸し，前菜：春菊胡麻浸し　穴子小袖寿司　姫さざえ旨煮　きす紫蘇揚げ　蒸鮑　揚げ銀杏，御椀：清まし仕立て　尼鯛酒蒸し　しめじ茸　錦糸卵子　柚子，

造り：鯛　鮪　甘海老　あしらい，焼物：牛肉フィレ肉の和風焼き　焼アスパラ　チーズ
トマト，煮物：飛竜頭　蕪　里芋　車海老　栗麩　青味，食事：蟹御飯　赤出汁　香の物，
デザート：木の実のタルト　柿のシャーベット　フルーツ添え

〈飲物〉

ココ・ファーム・ワイナリー　山のシャルドネ　2010年，シャトー・ラグランジュ
2005年，清酒：久保田　洗心（新潟県）

政治協議が厳しいものであればあるほど，そのあとの食事会でゲストへの温かい思いやりが溢れれば，それは劇的な効果を生むことになるであろう。

『ものいう患者
――参加する医療を求めて』

小林俊三 著
（幻冬舎　2014年12月）

日本人のおおよそ二人に一人が癌になるのだという。年間で約75万人。他人事ではない。著者は「『Ⅳ期胃がん』だとわかったとき、私は医師を辞めて患者に成りきると決め」、渦中の壮絶な状況の中で冷静かつ第三者的に分析・治療を試みた。

著者は、名古屋市立城西病院元院長。１９４０年生まれ。名古屋市立大学大学院医学研究科修了。第10回日本乳癌学会長、名古屋市病院局スーパーバイザーなど歴任。

第1章「参加する医療とは何か」では、健康志向の時代の流れで自立した患者と主治医との「参加する医療」、インフォームドコンセントとセカンドオピニオンを指摘する。「患者が主役」であること、チーム医療の重要性を説く。

第2章「私的闘病体験から学ぶ」では、気管支拡張剤の副作用から自傷衝動の怖さを知る。肺気腫発覚、胃がん発覚で手術不能胃がんへの対応時の沈着冷静な態度にも感銘を受けた。

自ら体験したインフォームドコンセントでは、病気のこと、組織学的な特性のこと、手術でなく薬物による治療を選択した場合の、その内容と期待する効果とリスクなどの説明を受けた。主治医と著者（患者）は事態の共有が早いが素人の妻への伝え方には工夫が必要で、主治医と患者が相棒となり、「参加する医療」となった。胃がんの治療が始まり、「闘病日記」に細部の治療の経過を綴っており、その間の読書歴も興味深い。また、「医療スケジュール」作成過程と計画性。完治を目指さないがん治療と延命効果を十分に得るための体調管理の総合的な考え方、更に副作用との向き合い方、食欲不振の対処法、便秘の対処法など具体的な取り組みは同様な状況におかれた患者さんにとって極めて重要な指針になると思われる。

第3章「参加する医療を実現するために」では、様々な体験、右心不全、腹部膨満感、食欲不振、便秘、口腔乾燥症などに悩まされ、対応に苦慮している。そのうえで「専門医」にどのようにたどりつき、どのようにして主治医を選ぶか、主治医をパートナーにできるか、患者がやるべきこと、家族がやるべきことを考える。最善の「証拠に基づく医療」（ＥＢＭ）とあなたの都合「物語に基づく医療」（ＮＢＭ）の限界にも触れられている。

第4章「参加する医療は実現できたか」では、医師が患者になって初めてわかったこととして、他科の医師、看護師、薬剤師などは、主治医の背後にあって主治医を支える人たちという位置づけであり、一方患者側には家族や友人・知人といった支援者がいる。それぞれに支援者をもった主治医と患者の間に見えたのがパートナーシップであった。この双方向性の関係こそが、服薬指導の分野でコンプライアンスに代わって提唱されたコンコーダンスという概念であると。治療内容に介入して、その要否を議論するだけが参加でなく主治医に思う存分力を発揮してもらうために、その活躍の場を整えることが「参加する医療」の所以である。患者は受け身の「脇役」ではなく「自らの病気については自らが主役になって参加しようという意思が実を結ぶ」。

自らの置かれた極限の体調にありながら治療のことをこれほど客観的に観察・分析・実践はとてもできることではない。一般に「楽しみながら人間ドッグや検診を受ける」心境にはなれないが、本著は多くの示唆と勇気を与えるものと確信できる一冊でしょう。

なお、コラム「日本乳癌学会ニュースレター」に掲載された「江藤淳の自死を通してインフォームドコンセント（ＩＣ）を考える」や「芋武陵『酒を勧む』を読む」も見逃せない。

『しんがりの思想
──反リーダーシップ論』

鷲田清一 著

（角川新書　2015年4月）

評者は、著者の鷲田清一が大阪大学総長時代に卒業式の式辞の中で述べた「本気でしなければならないこと、羽目を外していいこと、おもいきり興じていいこと、絶対してはならないこと……」という〈価値の遠近法〉を聴いて唸った記憶をもつ。多くの著書があるが今回は本著を紹介したい。

本論は五章立てである。

第1章　「成長」とは別の途（「右肩上がり」を知らない世代の登場／「右肩上がり」の世代──意識から抜け落ちた未来世代のゆくえ　ほか）
第2章　サービス社会と市民性の衰弱（「顧客」という物言い／いのちの世話とその「委託」　ほか）
第3章　専門性と市民性のあいだの壁（専門家主義と市民の受動化／トランスサイエンスの時代　ほか）
第4章　「しんがり」という務め──フォロワーシップの時代（「観客」からの脱却／全員に開か

れているということ　ほか）

第5章　「押し返し」というアクション――新しい公共性の像（「無縁社会」：ひとを選ぶ社会　ほか）

ここでは第四章、五章を見る。

第四章では、様々な政治課題、悪化する労働環境、広がる貧困格差、地方の過疎化、介護や子育て、被災地・東北の復興、先の見えない原発事故処理の作業……に対して責任のありかというものを見通せない現状を考察する。「責任とれません」「責任とりません」。「問題解決を職業政治家にそっくりあずけ、みずからはその政治サービスの顧客と化してしまうと言う危うさをはらむ。（略）市民はいかにして『顧客』や『消費者』であることを越え、『観客』であることを越えて『主客二様の職』を果たす『市民』となりうるのだろうか」。「現在の政治の光景を笑うことはかんたんである。政治を笑うこと、さらにはそんなふうに政治を笑うじぶんを笑うことをも越えて、市民自身による〈公共的〉な論議への確かな一歩を踏みださねばならない。（略）直面している社会課題の解決を専門家にそっくりまかせるのでもなく、他の市民とともに社会運営の一部を分かちもつ市民性の力量を形成すること、これがいま政治に、そして『市民』としてのわたしたち一人ひとりに求められているものであろう」。

第五章では、ボランティアとは、じぶんをヴァルネラブルにする行為であると定義し、みずから進んでとった行動の結果として自身が苦しい立場にたたされてしまうところへと、あえてみずからを巻き込む行為であり、サービス市場の外で報酬なしになされる行為であると指摘する。

「『責任』というのは、最後まで独りで負わねばならないものではないし、何か失敗したときにばかり問われるものでもないということだ。『責任』とはむしろ、呼びかけや訴えに応じあうという『協同』の感覚であるはずのものだ。（略）じぶんでできなければだれかが代わりにやってくれる、そういう安心感が底にあるような社会の基本となるべき感覚である」と。

特筆すべきは、「リーダーになろうと心がけるより先に、まずは賢いフォロワーになれるように心がけておくこと。だが、いざ担がれたときは限られた期間であれ、引き受けられる準備を日頃からしておくこと。（略）梅棹忠夫は『請われれば一差し舞える人物になれ』」と著すところである。様々な論議はこの語に収束すると確信した。

いま本当に必要なのはフォロワーシップ精神にあふれた人びとである。そうした一人になりたいと思う。

『イギリス人アナリストだからわかった日本の「強み」「弱み」』

デービッド・アトキンソン 著
（講談社　２０１５年６月）

２０１４年、訪日観光客が１，３００万人を超えたと自慢げに報じられている。世界一のフランスは、８，４００万人で仏政府は２０２０年に一億人に増やすと発表した。

日本在住25年の英国人デービッド・アトキンソン（小西美術工藝社社長、元ゴールドマン・サックス金融調査室長）が日本の「強み」と「弱み」を分析し、厳しい提言をしている。日本が「おもてなし」を最大の売りにして外国人がやって来るのか、自分たちが本来もっている力を見誤って「宝の持ち腐れだ」と。

本文は七章立てである。

第一章　確かに優秀な「日本人労働者」という強み
第二章　「長い会議が象徴する効率の悪さ」という「伸びしろ」
第三章　「数字を重視しない経営者」という「弱み」

第四章　「面倒くさい文化」は「強み」か「弱み」か
第五章　インテレ層の知的レベル、woolly thinking の問題
第六章　古いものと新しいものが「共存」しているという「強み」
第七章　「解決能力」と「強すぎる個人主義」

我々日本人にとって耳の痛いことが多く述べられている。各章から印象に残った箇所を列挙してみよう。

・なぜ日本人は「国際比較」を好むのだろう。多くの国の国民は他国からどう思われているかにあまり興味がない。（はじめに）
・戦後日本が大きな経済成長を果たしたことを「奇跡」と評するが、科学で解明できることは「奇跡」ではない。（第一章）
・日本の非効率性の例に道路工事や建設現場における standing around。打ち合わせには一人でよいのにゾロゾロと現われ顔をそろえるが、生産性に良い影響を与えるとは思えない。（第二章）
・日本の経営者はプロセスに重きを置く。残業が多いのに一人当たりＧＤＰは上がらず、会社にいるだけの行為を美徳とし、経済効果のない仕事が多い。（第三章）
・日本社会では「正論」を潰すことが多く、その際に使われる便利な言葉が「面倒くさいことになる」である。自分の意見より「面倒くさい」を優先している。（第四章）

・woolly thinking　日本のインテレは散漫な思考で議論の焦点が決まらず、表面化した問題の事後処理をするだけに終わる。（第五章）
・日本の文化的「強み」。それは新しいさまざまな文化を取り入れるだけでなく、古い文化も残していく。文化をアレンジせず、「足し算」が得意である。（第六章）
・日本の観光業のＧＤＰ貢献が２パーセントしかなく、アジアに限定しても〝観光立国順位〟は８位と低く、観光収入が少ないが伸びしろはある。（第六章）
・日本では土地の所有権をはじめ個人主義が強くて、街なみがきれいになるよりも自分の土地を守るほうが重要で、自分の庭は綺麗にするが隣が汚くても気にしない。（第七章）
・日本という国が何を主たる目標にしているのかが見えない。世界に影響力を継続的に発揮したいのか、国民の幸せ「ハピネス」を追求するのか。

今、日本がすべきは、他国と比較して勝った負けたと胸を張ったりがっかりしたり、一喜一憂することではない。何に将来性があるのかということを、冷静に話し合うことではないだろうか。

著者は同時期に『新・観光立国論』（東洋経済新報社）も出版し、観光を通じて日本経済、「第２の高度成長期」へと発破をかける。併読をお薦めする。

『歴史とプロパガンダ
――日米開戦から占領政策、尖閣問題まで』

有馬哲夫 著
（ＰＨＰ研究所　２０１５年８月）

帯文の「日本で流布する〝通説〟を覆す書　アメリカ公文書館の歴史資料から、驚愕の対日プロパガンダの実態を解明する」が目に留まった。

「『リメンバー・パールハーバー』に隠されたものは何か？／『尖閣問題』の淵源はどこにあるのか？」と一次資料に基づく分析に魅かれ、これこそ歴史家の仕事だと思った。

著者は、１９７７年早稲田大学第一文学部英文科卒業。東北大学大学院国際文化研究科を経て、現在早稲田大学大学院社会学研究科教授である。１９９３年、ミズリー大学客員教授に就任。

本論は六章から成る。注目すべき数か所を挙げてみよう。

第一章　偽りのリメンバー・パールハーバー

◎機密解除文書が明らかにした日米開戦の真相・ローズヴェルトは日本の先制攻撃の時期を正確に知っていた。

・アメリカは真珠湾攻撃の前からイギリスとソ連に対して「武器貸与法」によって膨大な物質的支援を行っていた。また、「日本がアメリカと戦争すればドイツがこれに参戦すると確約した」という暗号電文が解読されていた。

第二章　スキャンダラスなヤルタ会談

◎かくもいいかげんだったローズヴェルト

・大統領選挙を有利にするためにスターリンに会議を開催するよう懇願し、結果ポーランド問題、ソ連の対日参戦と極東密約は、1944年10月にチャーチルなどと実質決められた。

第三章　原爆投下は必要なかった

◎作られたアメリカの公式見解

・1947年2月の「原爆投下の決定」として今日のアメリカの公式見解のもとになった陸軍長官ヘンリー・スティムソンに宛てた、日米開戦前十年間駐日アメリカ大使を務めたグルーの長文の手紙がある。「天皇制存置条項を含んだ最後通告をトルーマン大統領が発していれば、日本は6月か7月に降伏していた」と。

第四章　占領軍のブラックな心理的占領

◎メディアと教育がターゲットだった

・日本国民は戦争責任者ではなく戦争被害者

・「日本軍」と「日本国民」の区別は重要、当時約8，000万人の人口、終戦時の軍人は789万人、国外の軍人は378万人で全人口の5％にも満たない。
・人々を洗脳するためには、①マスコミュニケーション手段の独占、②回路形成、③制度化、の三つをそろえる。イデオロギーを植え付ける側のプロパガンダだけが流され、占領軍は、放送、新聞などメディアを支配・検閲し、環境を作り上げた。

第五章　国家誕生と同時に始まった中国の侵略

◎日本を非難する資格があるか

第六章　米中・日中国交正常化と尖閣列島

◎歴史的事実よりプロパガンダ

著者あとがきに、『『キッシンジャー文書』の中の尖閣が2012年9月の『正論』に掲載され、日本の尖閣列島領有の正当性がこの文書によって証明されたあと野田政権が国有化を決定したのは評価される。歴史研究とは過去のことをほじくり返すだけでなく、現実の変革に役立つために歴史をよく知らなければならない」とある。

古代ローマの哲学者キケロの言葉がある。「ひとは自分の生まれる前に起こったことを知らないとすると、いつまでも子どものままでいることになる『弁論家』」と。

歴史は学ばなければならない。

『書店と民主主義
――言論のアリーナのために』

福嶋　聡　著
（人文書院　2016年6月）

全国の書店数は2005年の17，839店から2015年の13，488店へ4，351店減少した。とりわけ地方の小規模書店が経営難から撤退したのは問題だ。帯の「『紙の本』の危機は『民主主義』の危機だ。政治的『中立』を装うのは、単なる傍観である。」に惹かれて読んだ。

著者は1959年生まれ。京都大学文学部卒業。ジュンク堂書店に入社。大阪本店長を経て2009年より難波店店長。主な著書に、『書店人のしごと』、『希望の書店論』、『紙の本は、滅びない』などがある。

目次は次のとおりである。

ム／コミュニケーションを駆動させるもの ／本の生命／書店に生活提案は可能か／パッケージこそが商品だ

第二部 一九六〇年代憲法論の瑞々しさ／これが戦争のリアルだ／戦争の終わり方／民衆主義とカオス／「君が代」を強制した瞬間に崩壊する推進派の論拠 ／「物語」を売る／出版の量的、質的なシュリンク／安保法案の成立を受けて改めて出版の役割を考える／クレームはチャンスだ／「中立の立場」などそもそもない

・ヘイト本と書店

著者は言う。「書店の人間として『ヘイト本』を書棚から外すという選択はしません。現にそこにある事実を覆い隠しても、それがなくなるわけでもなく、見えなくするのは結局よい結果を生まない。むしろ、そうした批判すべき本を、実際に読んでみる必要があると思うのです」。

・書店に生活提案は可能か

蔦屋書店の社長は、こんにちの(リアル)書店の衰退の最大の原因を、ネット書店の台頭に見る。したがって、そのコンセプトが「生活提案」となり、購書空間が本探し、吟味するために快適な場所、居心地の良いカフェの提供などにある。しかし「至福の時間が流れるのは、あくまで本の内容によるものだ。没入する本を提供することこそ、出版・書店業界の役割である」と。

・白井聡の「永続敗戦論」

「戦後」の欺瞞とは、「敗戦」を「終戦」と呼び換えるという欺瞞に始まる。「敗戦を否認しているがゆえに、際限のない対米従属を続けなければならず、深い対米従属を続けている限り、敗戦を否認し続けることができる。かかる状況を私は、『永続敗戦』と呼ぶ」。

・民主主義と出版、書店

「願わくは、今日出る書物は、明日に向かった提言で満ち、人の知性を発火させるものであってほしい。書店は、書物が喚起した議論が実り豊かな結果を生み出す、活気に満ちた『闘技場』でありたい」。

日本の民主主義は他人の意見を聞かないこと。自分の意見を言わないこと。その点で、「現在の日本は民主主義国家とは言い難いかもしれない。（中略）特異な意見を表明すると『空気が読めない』と非難されすぐさま排除の対象になる。日本の『お任せ民主主義』『丸投げ民主主義』の姿である。自らは知らず、考えず、決断せず、それらすべて政治に携わる人たちにゆだねる。そして指導者が失敗すると、ここぞとばかり批判を浴びせる、それも多くの場合集団で」。

容易ではないが、我々も姿勢を正さなければと思う所以である。

『美酒と黄昏』

小玉　武著
（幻戯書房　２０１７年４月）

「グラスの中に《居場所》を求めて、夕暮れ、人はストゥールに座る……」／「漱石・太宰から寺山・春樹まで――作家・文人たちの酒と酒場の歳時記」と帯にあり、元「Suntory Quarterly」編集長・織田作之助賞作家が、懐かしき場所と時代を〝秀句〟で辿る、酒と酒場の文芸エッセイである。

著者は１９３８年生まれ。早稲田大学卒。寿屋（現サントリー）に入社。開高健、山口瞳らと宣伝部に所属し、ＰＲ誌「洋酒天国」を編集。著書に評伝『佐治敬三』、『開高健――生きた、書いた、ぶつかった！』など多数。

ホテルのバー、ショットバー、ワインバー、居酒屋巡りを好み文学を愛する評者にとって、目次を眺めただけで魅入られ、圧倒され、幸せな酔いがまわってくる。

目次は次のとおりである。

序──夕暮れ。そして「わが酒場の歳時記」

「春」　花園の思想──おぼろ酒場　永井荷風と新橋汐留／丸谷才一の八十八句／久保田万太郎と打ち水／植草甚一と本牧世話／吉行淳之介の銀座／山本周五郎と間門園

「夏」　行旅と憧憬──短夜の酒場　太宰治と涙の谷／村上春樹と幻住庵／吉田健一の倫敦／寺山修司のサンダル／松本清張の句嚢　開高健とオガ屑の匂い／正岡子規の大連

「秋」　漁火が流れる──身に染む酒場　山口瞳とエスポワール／西東三鬼の神戸／夏目漱石の海鼠の句／井伏鱒二の荻窪／野坂昭如の破酒場／織田作之助とアリババ

「冬」　颪の夜のフーガ──寒に入る酒場　大沢在昌の新宿　井上木杙と角瓶　久世光彦の男と女　武原はんと六本木　ヘミングウェイと戦争　安岡章太郎とビート詩人

「新年」　空飛ぶ鳥を見よ──めでたき酒場　高浜虚子と根岸家／鈴木真砂女と稲垣きくの／森澄雄と白鳥夫人

跋に代えて──佐治玄鳥俳句の雄魂

この中から誰を選ぶか逡巡するも特にお気に入りの4人について附言する（恐縮ながら私事思い出混入容赦乞う）。

丸谷才一　**佐保姫**　**佐保姫もこんなずんどう酒のびん**　**玩亭**

佐保姫とは、春をつかさどる女神のこと。丸谷は好きなウイスキーを味わいながら、掌の中のボトルがずんどうであることに気がついた。丸谷はカウンター席で飲んでいても、紙のコースターに、思いついた句を書いた。評者の場合も銀座のクラブのママを通じて『横しぐれ』をはじめ八冊にサインをもらい、添えられた句に「ほととぎす中州のそらの宵じめり」がある。

吉田健一　茉莉花　夏の日や一息に飲む酒の味　路通

芭蕉の弟子路通の句。記憶に残る長女暁子のエッセイから「……ものを書いて生計を立て、犬を飼い、面白い本、良い文章を読み、美味と酒に親しみ、良い友人とつき合い、旅を愛した」。

開高健　黄昏　夏服や軽々として業にあり　虚子

著者が激賞する『珠玉』の中の一場面。「……オガ屑の匂い、氷を砕く音、歯茎に染みる冷えたドライ・マティーニとチェーサー。季節は夏でなければならない」。初夏に訪れた茅ヶ崎の開高健記念館が懐かしい。

ヘミングウェイ　凍てる　水の流れる方へ道凍て恋人よ　六林男

訪れたハバナのヘミングウェイが通ったラ・フロリディータ。二本のストローで飲むフローズン・ダイキリの美味さは格別。

『信長と弥助
——本能寺を生き延びた黒人侍』

ロックリー・トーマス 著
不二 淑子 訳
（太田出版　２０１７年２月）

アフリカに深い関心を持つ評者にとって、初めてアフリカへ行った日本人は誰か。初めて日本にやって来たアフリカ人は誰か。特に後者について標題、興味深い著書が出版された。「信長が愛した黒人侍、その生涯の謎に挑む」、「異色の黒人侍、弥助。その知られざる生い立ちから来日にいたる経緯、信長との出会いと寵愛、本能寺後の足取りまで、詳細に踏み込んだ歴史ノンフィクション」。

著者は、イギリス出身、日本在住、日本大学法学部の先生。

目次は次のとおりである。

第一章　日本上陸と信長との謁見
第二章　弥助の経歴を紐解く
第三章　現代に伝わる弥助伝説

第四章　弥助が生きた時代
第五章　弥助はどこから来たのか
第六章　信長の死後の弥助
第七章　弥助の生涯を推測する

本能寺の変からさかのぼること3年前の1579（天正7）年7月2日にイエズス会の宣教師一行と一人のアフリカ人従者が島原半島先の港に着いた。

各章に興味深い仮説・推論や数少ない資料の紹介に面白いものが見られる。その中から、最も重要な第五章「弥助はどこから来たのか」に絞って見てみたい。

弥助の出身地

信長の家来になる以前について判っていることは、フロイスが書簡で〝カフル〟と呼んでいたことから、アフリカにルーツをもつこと。太田牛一の記した推定年齢により、1555、6年ごろに生まれたこと。真っ黒な肌をして礼儀正しく、ハンサムで、背が高く強靭な体格だったこと。〝弥助〟と呼ばれ、人生のどこかで奴隷だった時期があること。

・第一の可能性　①――イタリア

アレッサンドロ・ヴァリニャーノはナポリ王国の高貴な生まれで、イエズス会の宣教師とはいえ従者を連れて旅をしていただろう。故に弥助がヴァリニャーノ本人か、彼の家に昔から仕える従者だった可能性がある。

・第一の可能性 ②―ポルトガル

武器を扱う護衛だった弥助のような男は、ポルトガルの奴隷のパターンにはあまり当てはまらない。アフリカ大陸からインド洋を隔てて売買された奴隷である可能性の方が高い。

・第二の可能性―現在のモザンビーク

弥助がモザンビークで生まれた可能性は充分ある。ヴァリニャーノは1574年モザンビーク島に寄港しており、奴隷貿易が定着していた。

・第三の可能性―インド

現在のインドの西海岸のポルトガル領居留地のどこかでヴァリニャーノと合流した場合。

弥助の名前の由来

弥助の出自について〝弥助〟というのは外国の名前に漢字をあてたもので可能性の高いのが、〝イサーキ〟(エチオピア名では〝イサケ Yisake〟、アラビア名では〝イシャク Isaque〟)で、この黒人侍の出生地がエチオピアで、彼の本当の名が〝イサク〟と示唆されると結論づけている。

本書は全編を通じて著者の「弥助」に対する深い興味と情熱を感じる。その一方、仮説・推論が多く、文献・資料が限られているので消去法が多用され、結論を導き出すのに難渋しているように思われる。故に最後まで隔靴掻痒の感は拭いきれなかった。

著者　ロックリー・トーマス（Thomas Lockley）
日本大学法学部専任講師。歴史・日本史。イギリス出身。
訳者　不二淑子（ふじ・よしこ）
翻訳家。早稲田大学文学部卒。

『保守の真髄
――老酔狂で語る文明の紊乱』

西部 邁 著
（講談社現代新書 2017年12月）

西部邁氏が「自裁死」した。2018年1月21日のことである。氏は評者と同年1939年生まれ、78歳。面識があったわけではないが、左翼過激派時代を除き新聞、雑誌、著書、「朝まで生テレビ！」を通じ、後年の近代保守主義の知識や論理には圧倒された。

本書は次のとおり、四章四〇節にまとめられた「遺書」である。

第一章 文明に霜が下り雪が降るとき
第二章 民主主義は白魔術
第三章 貨幣は「戦さの女神」
第四章 「シジフォス」の営みは国家においてこそ

歴史と国家のコモンセンスが問われるなか、登場する哲学者、思想家、政治家など多数。マキャベッリ、ヴィーコ、福沢諭吉、ヴェブレン、中江兆民、ケインズ、ガンディ、チェスタトンなど。詳しくは本書を読んでいただくとして、評者が特に関心を深めた3点について紹介する。

・「**紊乱**」について述べたあと、自身の言う述者（著者）は、「……G.K. チェスタトンがF. ニーチェにたいしていったこと、『狂気に一抹の魅力があることを認めぬわけではないが、それを認めるためにもこちとらが正気でなければならぬ』を座右の銘として生きてきた述者としては、正気が狂気と見えることとこそ現代文明が紊乱の極みに近づいていることの証拠ではないか」と続けている。

・「**人生の最大限綱領は一人の良い女、一人の良い友、一冊の良い書物そして一個の良い思い出**」の「人生を良いものにする四点セット」を語り続けた。「よく人間の感情のことを総まとめにして喜怒哀楽といわれるが、語り継ぐに最も値するのは、『哀しみ』の感情ではないだろうか。人は必ず死ぬ。時代は必ず変わる。その避けようのない行程の中で、何かを求めて何事も得ずに死んでいく人々の膨大な思い出の数々、それが歴史を支えるのである」。

・**人工死に瀕するほかない状況で病院死と自裁死のいずれをとるか**
「自然死と呼ばれているもののほとんどは、実は偽装なのであって、彼らの最後は病院に運ばれて治療や手術を受けつつ死んでいくことなのである。換言すれば『病院死』。瀕死者にとっての病院は、露骨にいうと、死体製造（および処理）工場にすぎない」。「自然死などめったになく、あるのは人工死、つまり病院死であり、そうでないとしたら自分で自分を殺す、つまり自裁死しかないというのが死の現実といってよい。（中略）病院死を選びたくない。おのれの生の最期を他人に命令されたり弄り回されたくない。病院死を非難するものではないが」。ナチュラル・デューティだと考える。

明治の旧制一高生、藤村操による日光・華厳の滝への投身自殺。昭和2年の作家、芥川龍之介の薬物自殺。そして昭和45年の作家、三島由紀夫の割腹自殺は、単に個人の自殺というより時代そのものが演じた死であり、西部氏もこの系譜に連ね歴史に刻と言えるのではないだろうか。西部さん、さようなら。

『21世紀の楕円幻想論
──その日暮らしの哲学』

平川克美 著
（ミシマ社　2018年2月）

「全財産を失い、右肺の三分の一も失った著者がたどり着いた、新たな贈与論」と惹句にある。『復路の哲学』（「教育PRO」2015年6月2日号書評）を評してから3年、再び平川克美を取り上げる。

目次は次のとおりである。

最初に結論を述べるようだが貸借関係という人間関係には、相反する二つの意味があり、支配と服従、親愛と受容という関係である。非貨幣的社会では貸借関係は清算してはならず、現代の等価交換の社会では、清算されなければならない。ところが、半返しの習慣などの不等価交換からこの貸借関係にまつわるモラルが変容することで引き起こされる現代社会の行き詰まり、貧富格差、富の一極集中といった経済問題を考える鍵になるのでは。

ピーター・フロイヘンの『エスキモーの本』を引用してみよう。猟に成功した狩人から肉をもらい、礼を述べたがその男から抗議をうける。狩人は「この国では、われわれは人間である。われわれは助け合うのだ。それに対して礼をいわれるのは好まない。……」と言う。

イヌイットにとって負債は人間であれば当たり前のことで分け与えることは義務であり、それを受け取ることも義務なのである。

「人間は生まれ落ちた時点で、親だけでなく、世の中に負債を負った存在なのです。原初的な負債ですね」。

著者はマルセル・モースの『贈与論』を参照し、贈与関係によって成り立つ経済システムを「全体給付システム」と位置づける。市場原理という交換経済に先行して、現代社会にも成立している。「贈与の受領と再贈与の義務」という有機的連関は、人間社会の古層を形成し、根源的な倫理である。「モラルというのは、負債を等価交換とは別の仕方で、返済しなければならないという感覚から生まれてくる」。

人は子どもに対して、様々なものを与え続ける。代償は求めない。贈与と相互扶助が無意識の状態で行われているから、社会は維持され続けている。

著者は贈与経済の重要性を説くと共に交換経済としての市場も否定しない。両者の平衡を保つ関係性を重視する。花田清輝の「楕円幻想」から思いつき、楕円は二つの中心を持ち、相反する二項が反発しあいながら必要としている状態と言う。人は一つの中心をもつ完全な円を求めがちだが、その純粋社会はあやうい。「楕円幻想」から成り立つ社会はすっきりしないが、矛盾する諸価値の間で葛藤しながらバランスを保つ平衡感覚が求められる。著者は「有縁」と「無縁」を問い、「ためらい」と「うしろめたさ」を大切にする。成熟した平川経済学の集大成と言えるだろう。

著者　平川克美
１９５０年、東京都生まれ。隣町珈琲店主。立教大学客員教授。文筆家。早稲田大学理工学部卒。
著書：『小商いのすすめ、「経済成長」から「縮小均衡」の時代へ』『移行期的混乱』他多数。

『世界まちかど地政学

――90ヵ国弾丸旅行記』

藻谷浩介 著

（毎日新聞出版　2018年2月）

「世界は行かなきゃわからない！」と、地域振興や人口問題に関して研究、執筆、講演などの活動をしている藻谷啓介の「地理と歴史で読み解く『世界経済がわかる旅行記』」である。評者も訪問国の数では、著者の90ヵ国には負けるが、80ヵ国、300都市はあろうか。旅の仕方が同じというわけではないが共通する場面が多い。また、「ハードパワー以上にソフトパワーの観察に重きを置く21世紀の地政学」の観点からお薦めの一冊である。

目次は次のとおりである。

第5章　台湾・韓国・中国の高速鉄道乗り比べ
第6章　南北米州の隅っこから、二十一世紀の地球が見える
自著解説　二十一世紀の「ソフトパワーの地政学」とは

上記に収録されている国は14ヵ国あるが、中から5ヵ国をピックアップしてみよう。

カリーニングラード

評者は1998年9月にバルト三国（都市）へ一人旅に出かけた。その際にロシアの飛び地、カリーニングラードの存在を知った。著者は「カリーニングラードを知らずして北方領土を語るなかれ」と言う。歴史的には、ドイツ、リトアニア、ポーランドの固有の領土であった。ロシアの領土であったことは、第二次大戦以前には一度もなく、「固有の領土だけは返せ」と正論を掲げてもロシアは容易に応じるはずはない。

ベルファスト

ナイジェリア駐在時代、英会話のパット・ショウ先生がベルファスト出身で話題となり関心が深まった。「アイルランドと北アイルランドの逆格差」、「残るテロの傷痕、ブレグジットに揺れる北アイルランド」の指摘が重要だ。

ジョージア

黒海とカスピ海に挟まるコーカサス地方に位置するジョージアは、栃ノ心関が初場所で優勝して知られ、人口約370万人、在住邦人50人足らずの国である。トリビシ駅周辺を歩いた感想に「貧しさと豊かさが交錯する中に漂う安堵感」。判るね。小さいけれど複雑な多民族国家である。

ミャンマー

アウンサンスーチー氏率いる国民民主連盟が、半世紀以上も続いた軍政に替わって政権に就いたミャンマー（旧ビルマ）。少数民族ロヒンギャに対する人権弾圧問題。著者の観察――半ば放置されているヤンゴン中央駅、老朽化ビルの建て替え、路地裏の裸足で遊ぶ子どもたち、歩道を埋める露店など、昔の儘の庶民の世界である。しかし、早晩近代化されるのであろう。また、広大な敷地に仏塔が林立し、異空間の様相を見せるシュエダゴン・パヤー。無数の老若男女が祈っている。この人たちの将来は如何に。

アンカレッジ

1980年代半ばまで、日本と欧米を最短で結ぶ航空便が給油した町。乗客はアンカレッジ空港で2時間ほど降ろされ、免税品店で買い物をし、うどんを食べた。懐かしい。その後30年、最北の大都市アンカレッジはどうなったか、興味深い報告が続くが紙幅が尽きた。本文をお読み下さい。（ごめんなさい）。

『新 移民時代
——外国人労働者と共に生きる社会へ』

西日本新聞社 編
（明石書店　２０１７年11月）

最近、国内のコンビニエンスストアやファストフード店でベトナム人や中国人など外国人店員を見かけることが増えてきた。外国人数は２０１６年末には２３８万人と過去最多を記録し、日本で働く外国人労働者は16年10月末時点で１０８・４万人にのぼる。経済協力開発機構（ＯＥＣＤ）の統計では、外国人の移住者数は15年に39万人を超えて加盟35ヵ国中４番目に多い。

深まるグローバル化時代の昨今、「移民」に関する問題・課題は一層深刻化している。ＥＵ各国の移民政策は当然のことながら異なっているし、アメリカのトランプ大統領による「移民排斥」に対する対応も過激で物議を醸している。

本書は16年12月から西日本新聞で展開してきたキャンペーン報道「新 移民時代」を再構成したもので、目次は次のとおりである。

第１章　出稼ぎ留学生

第2章　留学生ビジネスⅠ　ネパールからの報告
第3章　留学生ビジネスⅡ　学校乱立の陰で
第4章　働けど実習生
第5章　変わる仕事場
第6章　交差する人々
第7章　ともに生きる
第8章　近未来を歩く
公開シンポジュウム　フクオカ円卓会議

1、2、3章を通じ、日本における長時間労働や厳しい住環境、そして、うつ病から自殺、失踪する留学生の事例を報告。一方、現地カトマンズでの取材から見える日本語学校乱立状況からあくどい送り出しの現状、日本への憧れを求めて活路を求める若者や留学希望者を食い物にする紹介・斡旋で暴利をむさぼる業者について明らかにする。日本の入管は書類審査専門で、留学生の入国時も在留管理も実務は日本語学校に丸投げしている。人手不足で定期検査はできない。当然留学生の人権や労働者としての立場を直視し、共生の視点を持つ必要がある。特に留学生問題を中心に取り上げたが、外国人政策は入国管埋、教育、医療、経済など多岐にわたる。総合的に進める官民組織「定住外国人政策委員会」を設置するなど、国を挙げて解決する課題であろう。

なお、本書は第17回「石橋湛山(たんざん)記念　早稲田ジャーナリズム大賞」の受賞作品である。選考委員を務めた日本ペンクラブ会長でノンフィクション作家の吉岡忍氏による受賞理由のコメントがすべてを表していると思われる。少々長いが紹介したい。「コンビニ、飲食店、語学学校、工場に外国人がいる。漁港や畑や介護施設にもいる。(中略)だが、日本でどういう暮らしをしているのか、私たちはほとんど知らない。本作品は彼らが学び、働き、暮らしている現場だけでなく、出身国の送り出し機関まで取材し、その荒んだ実情を次々に明らかにしていく。根本にあるのは、異文化に不寛容のまま、3K仕事の人手不足を補うため、『留学生三〇万人』のかけ声の下、低賃金労働力だけを集めようとする日本政府の政策である。『労働力を受け入れたつもりだったが、来たのは人間だった』。私たちの側には、彼らを人間として見、人間としてつきあう準備がまったくできていない。(以下略)」全面同意。

付記

日本移民学会編『日本人と海外移住 ── 移民の歴史・現状・展望』(明石書店　2018年)も併読をお薦めする。

『旅する本の雑誌』

本の雑誌編集部 編

（本の雑誌社　２０１８年７月）

今年の猛暑、豪雨、地震、台風と続いた異常気象には参ったが、８月、夏休みの読書は少々軽めの『旅する本の雑誌』から。

十年程前にミンスク（ベラルーシの首都）で出会った定年前のご夫妻は、毎年有給休暇を利用して世界旅行を敢行し、３ヵ国を除いて全てを訪問されていた。評者も海外一人旅は趣味の一つで毎年のように出かけているが、一方、読書、「本」も大好きで、週何回かの新刊書店、古本屋巡りは欠かさず、「旅」と「本」は切りはなせない。本書は国内版ではあるが、日本全国を旅する楽しい書物を紹介している。

目次は次のとおりである。

１章　地域別攻略！　本好きによる本好きのための一泊三日ガイド
２章　本と旅する　読んで旅する　その１

3章　東京で本の旅
4章　本と旅する　読んで旅する　その2
5章　本の旅　お出かけメモ

紹介したい項目（旅、作家・著書、名所・旧跡、書店・古書店、グルメ）は多彩で、ほんの一部しか取り上げられないが。

・**函館・小樽・札幌弾丸ツアー**では、立待岬の啄木の墓へ。原田康子が通った明治12年創業の「五島軒」、松本清張・瀬戸内寂聴が愛した「海陽亭」、札幌の老舗古書店「並樹書店」……。

・**逃げ恥じ文学北陸ツアー**では、犀星・鏡花・秋聲のいわゆる金沢三文豪に吉田健一・井上靖・深田久弥・曽野綾子・高橋治とゆかりの作家が目白押し……。

・**沖縄本を買おう！　の旅**　行きたい那覇。日本一狭い古本屋「市場の古本屋ウララ」「言事堂」、宜野湾にある「ブックスじのん」「榕樹書林」、古本屋の「麻姑山書房」、那覇市の「ちはや書房」。

本書には評者が好んで出かけている東西の実績店も多い。

・**本好きさんにススメル2泊3日の大阪旅**では、「アバンザ堂島」、東梅田「清風堂書店」、南森町の「天牛書店」「矢野書房」……。

・**東京二三区本好きの旅**　オアゾの丸善丸の内本店、八重洲ブックセンター、本の街・神保町山の上ホテル、帝国ホテル、新宿の紀伊國屋書店本店……。

・**「本は旅をする」**（岡崎武志）のコラムに旅の途上で、「東京では味わえない臨場感を現地で（中略）読む。旅の演出であり読書は（中略）手軽な小道具だ。退屈な中年から初老にかけて、人生にも演出は必要だ。『ボーッと生きてんじゃねえよ！』と言いたい」。

全く同感です。読書尚友。

〈本書執筆者46名〉

津田直　館浦あざらし　前野久美子　鈴木毅　今棟𠮷一　坪内祐三　佐藤雄一　本多博行
島田浩美　大矢博子　青木雅幸　坂上友紀　江弘毅　砂川昌広　庄司一郎　穂井田直美
神山恭昭　清政光博　徳永圭子　原茂樹　新城和博　新元良一　荻原魚雷　太田和彦
大竹聡　牧野伊三夫　たらば書房　佐野由佳　松本孝一　柳下恭平　山本貴光　大山顕
本間健彦　山根隆子　黒田信一　北原尚彦　下井草秀　渡部潤一　江部拓弥　高頭佐和子
小坂章子　おぐらりゅうじ　三쓱末雄　有山達也　岡崎武志　小山力也

余談ながら晩年に思うこと。本の山崩れの中で息を引き取るか、旅の途中アフリカの街など散策中に行倒れるか何方であっても人生に悔いなしとはいささかオーバーか。

「旅」と「本」の好きな人には必読の一冊です。

『この星の忘れられない本屋の話』

ヘンリー・ヒッチングズ 編
浅尾敦則 訳
（ポプラ社　2017年12月）

『旅する本の雑誌』を本書222頁で紹介したが、対象が国内に限られていた。今回、本好きには堪らない世界を舞台にした本書に出会ったので取り上げたい。「北京の食品マーケットに隣接する隠れ家のような書店から、ワシントンDC、ベルリン、ナイロビ、イスタンブールの古書店街まで。作家を育てたのはどの国でも『街の書店』だった。世界の注目作家一五人のアンソロジー」である。作家の出身国は、編者を含めて4人がイギリス人だが、ウクライナ、コロンビア、旧ユーゴースラビア、中国、エジプト、ケニア、アメリカ、ドイツ、イタリア、インド、デンマーク、トルコと多岐にわたっている。

目次は次のとおりである。

本屋の時間　アリ・スミス
この世のどこにもない本　アンドレイ・クルコフ

ヘラクレスの柱　イアン・サンソム
ふたつの本屋の物語　ファン・ガブリエル・バスケス
ライトナーとわたし　サーシャ・スタニシチ
おとぎ話はいつも幸せな結末をくれる　イーユン・リー
蛇を退治するときは……　アラー・アル・アスワーニー
憧れ――何かが起こるナイロビの本屋　イヴォーン・アジアンボ・オーウーアー
雪の日　マイケル・ディルダ
ある会話　ダニエル・ケールマン
ラ・パルマヴェルデ ステファノ・ベンニ
発展の時代の本屋　パンカジ・ミシュラ
親しみがあるということ　ドロテ・ノルス
ボヘミア・ロード　イアン・シンクレア
物語がわたしの故郷　エリフ・シャファク

先述のとおり、世界の著名な作家が有名、無名の書店・古書店に出会いその思い出や経緯を熱く語る様は「書店という名の万華鏡が作家たちの秘めた願いを誘い出す」。編著者による序文に、「そこは薬局の役目も果たすし、いろいろなものが混在する奇跡の場所になり、秘密の花園になり、イデオロギーの火薬庫になり、陳腐で饒舌な世界に異議申し立てをおこなう舞台になり、安全と正気を保証する場にもなる。そして、光の射さない穴蔵であると同時に闇を照らす灯台でもあるという、ほかに類のない場所なのだ」とある。

・本屋とは新たな欲求を永遠に生み続ける場所であって、欲求の種をわれわれの中にいつまでもばらまき続ける。

・探している本がたちどころに見つかるオンラインショッピングなんて、楽しくも何ともない。一冊の本を求めて本屋を何軒も探し回り、難しい獲物を仕留めるハンターのように本を追跡していく行為は、私をわくわくさせる。（ファン・G・バスケス）

・あれほど多くの魔法をもたらしてくれた本屋はほかになかった。（イーユン・リー）

・消えてしまった本屋。私は無言で立ち尽くした。――大人の女として生き、あこがれ、恋をし、挫折し、失恋し、生き方を探し求め、切望し、喪失し、世界を見つけ、心を失い、旅に出て、帰還し、故郷にもどり、また故郷を離れ、人生の意味を見つける。わたしのそばにはいつも本屋があった。（イヴォーン・A・オーウーアー）

・「本というのは生き物であって、雑に扱われるのを嫌うものだ」「本は買い手を選ぶ」「ねずみは理由もなく本をかじったりしない」（ステファノ・ベンニ）

なお、カバーを外すと表紙は、「赤丹（あかに）」、紙質が少し小皺のある「レザック」と洒落ている。スピーン（しおり）も。

編者　ヘンリー・ヒッチングズ（Henry Hitchings）
１９７４年生まれ。イギリス人作家、批評家。ロンドン大学で博士号取得。
訳者　浅尾敦則（あさお・あつのり）
１９５６年生まれ。国際基督教大学卒業。音楽雑誌の編集部勤務を経て翻訳家。

『銀河を渡る　―全エッセイ』
『作家との遭遇　―全作家論』

沢木耕太郎 著

（新潮社　2018年9月／11月）

旅と出会いの原点は楽観と情熱にある。出会いへの渇望に溢れる書、2冊を紹介しよう。

『銀河を渡る　―全エッセイ』

目次は次のとおりである。

第一部　鏡としての旅人＊歩く
第二部　過ぎた季節＊見る
第三部　キャラヴァンは進む＊書く
第四部　いのちの記憶＊暮らす
第五部　深い海の底に＊別れる

・ペルノーの一滴

彫刻家、宮脇愛子との出会い。彼女との、パリでペルノーを飲みながらの思い出をイントロに、ホノルルで「have」の使い方をさりげなく教えてもらい、20年後にバルセロナで宮脇の作品に遭遇したエピソードは素敵だ。

・神様のプレゼント

ブラジル奥地で軽飛行機が墜落し、病院に担ぎこまれた。奇跡的に打撲ですんだが、この内容は事故の恐怖ではなく「現地の救急患者に目を奪われた」。おもしろいと周りを見る著者。

・足跡 ── 残す旅と辿る旅

かつて「夢見た旅」と「余儀ない旅」と書いた著者が、近年は「ひとつは自分が自分の足跡を残す旅であり、もうひとつは誰かが踏み残した足跡を辿る旅である」とする。子どもが生まれてすぐに取材の旅に出た話の折、或る記者から「あなたは可哀想な人ですね。子どものいちばんいいときを見逃してしまったんですね」と言われ、夜型から普通の生活に改め、子どもの成長を見た。

・銀座の二人

銀座の試写室の帰途、鮨屋で見かけた池波正太郎の振る舞い。ホテルの中華料理店で酒の飲めない淀川長治との対談と彼の孤独への想い。思いの深さが沁みてくる。

・教訓は何もない

北欧のホテルに泊まった時、ドイツ人・スイス人等が、暖炉を囲み談笑。「激しい吹雪の夜、森の一軒家に旅の男が訪れた」が、そっけなく断られた話について、「教訓は何もない」黙って考え続けろ。何事であれ、性急に教訓を求めるものでない。

・秋の果実

「秋に『秋の果実』を食べると、少年時代に盗み食いをした時のさまざまな実の味と、若い頃シルクロードで眼にした葡萄や柘榴の実の輝きと同時に、父の作った、親の悲しみがほんのわずか滲んだような俳句を思い出す」。

・美しい人生

男には「格」がある。名声でも富でもない。人間としての「格」が高いか低いかだけなのだ。50年来の友人、写真家の内藤利朗氏への弔辞から。

『作家との遭遇――全作家論』

フリーランスのライターになった沢木が新宿や銀座の酒場で生身の作家やジャーナリストや編集者と「遭遇」した。更に「文庫」の解説を書く機会が多く交遊を広げた。「解説を書くことで、常に私は『遭遇』した作家についての短い『卒論』を書いていたのかもしれない」と。

「書物の森の中で、あるいは酒場の喧騒のなかで、心奪われる出会いをしてきた二三名の作家たち」。列挙する。井上ひさし、山本周五郎、田辺聖子、向田邦子、塩野七生、山口瞳、色川武大、吉村昭、近藤紘一、柴田錬三郎、阿部昭、金子光晴、土門拳、高峰秀子、吉行淳之介、檀一雄、小林秀雄、瀬戸内寂聴、山田風太郎、P・R・ロスワイラー、T・カポーティ、ゲルダ・タロー、アルベール・カミュ（22歳の時の卒論「アルベール・カミュの世界」を収録）。

巻末にある大学の卒論における、学生にしてすでに本質をつかもうとする人間の見方は、卓越したノンフィクション作家の萌芽であった。

『遅咲き（ブリギッタ）』（再読）

シュティフテル 著
宇多五郎 訳
（四季社　１９５３年９月）

書架を整理していて昭和41（１９６６）年5月31日に購入した標題に再会した。本には、「書姿」の美学があり、当時思わず購入したようにも思われる。さすがに外箱は日焼け変色しているが、中を取り出せば濃い目のベビー・ピンクの表紙、縦16センチ、横11センチの小洒落た２５５頁の小冊子。宇多五郎訳、定価２００円、四季社、昭和28年9月発行である（『荒野の村』併録）。実に懐かしい。

本書は四章から構成されている。

草原彷徨

「人生には、一目では直ぐとはっきりせず、又そのいわれ因縁が、おいそれと急には明瞭にならない事柄や関係がよくあるもので、そんな場合たいていは、何か底知れぬ不思議なものの持つ、ある美しいやわやわとして魅力が出て来て、それがわれわれの魂の上に働きかけて来る。」

イタリアの旅先で知り合った老大佐に2年後に誘われてわたしは東ハンガリアへ旅をした。旅の間の草原の風景、観察、静寂。途中葡萄棚の緑の中にある白い小屋で出会った女から馬を貸し与えられ荒野を馬で移動した。

草原の家

たどり着いたウワアルの少佐の家。行き届いたこの家での生活。少佐から伝えられる数々の教え。「農夫の職分というものも、それが農夫に理解されて高貴なものとされる時、如何にうるわしく如何に本源的なものであろう。その単純と多様に於いて、情念のない自然相手に先ず生活を共にするという点で、農業こそ、何を措いても第一に天国の伝説に堺を接するものである。」この滞在中に飛びぬけて美貌でわたしの注意を惹いたブリギッタの息子グスタァフを紹介された。ブリギッタは、人の気に入る顔でなく、ごく若い時に嫁いだ先の男は、軽薄な青年であったのでブリギッタを捨てて家出をし、二度と戻ってこなかった。ブリギッタは、子どもをつれてその領地マロスヘリイに現れ男のやうななりに換えて農業をやり始めた。よく働いた。

草原の過去

少佐とブリギッタとわたしのとの間のいろいろな関係。「人類の歴史には、何とも言いようのない美しいものが潜んでいる。」ブリギッタの若き日の物語。二人の美しい姉と違ってほとんど社交界へ出ることがなかった。生まれた時から、美しい天の使いの面影がなく両親からも自らもそれを知り、部屋のひと隅に座り過ごした。青年たちからも注目されなかった。が、社交界で人目をそばだてる男シュテファン・ムウライが現れ求婚される。「あたしには、一番高い愛しかもとめませんから。あたし、自分が醜い顔をしていることをよく知っておりますの。だからこそ、この世の一番美しい娘よりももっと高い愛をもとめたいのです。……」様々な経緯の後ブリギッタと結婚するがやがて離別する。

草原の現在

わたし達は、マロスヘリイに向かって馬を進めた。ブリギッタという人は、実に、わたしに馬を貸してくれた、あの馬上の婦人であった。

少年グスタァフは、狼の一群に襲われ一命は取り留めたが重傷を負う。医者とブリギッタが呼ばれ看護。グスタァフに見とれる少佐。「わたしにはね、子供がないんですよ」

・・・・・・・

ブリギッタはただ一言、「シュテファンさん！」。シュテファン・ムウライは二、三歩前へ踏み出し、はげしくころがり込むようにして、ブリギッタの腕の中へ身を投じた。

「もう決して別れまいね、今から永久に、ね」

「もう別れませんとも！」

「十五年もの間、おまえをおっぽり出しておかねばならなかった。おまえは、十五年の間身の犠牲をしていたのだ」「グスタァフ、あの方がお前のお父様なのだよ！」ブリギッタは叫んだ。

「最高の愛という花こそは、人のとがを許すという所に咲き出るものだからであり、その故にこそ又この許しは、神に於て又世の母親に於て、常に変わらず見出されるのである。美しい心を持つ人々は縷々人の罪を許す」

「わたしが旅で知り合った友は、シュテファン・ムウライだったのだ。旅行中は母方の先祖の名バトリを名乗り、人には少佐と呼ばせていた。わたしは、その冬の間に、二つの心をよく知った。今になってやっと、遅咲き乍ら一つの全き幸福の花に開花した二つの心を。わたしは再び祖国ドイツをさして旅に上がった」「物悲しい、なごやかな思いを抱いて、わたしは旅を続け、ついにライタの河もうち渡ると、祖国の美しい紺碧の山々がわたしの目の前に朧ろ朧ろにかすんで見えて来た」

自然を背景にしたこの素朴で哀愁に満ちた人の出会いと精神の愛を語る作品にしばらく眠ることができなかった。

あとがきによると、アーダルベルト・シュティフテルは、自然を描き抜いた詩人であり、その自然の表裏に、自己の写像の数々を、そこはかとなく控え目に揺曳させた作家であった。1805年10月23日、今はチェコ領になっている南ボヘミアンの小都オーベルプランで生まれた。ボヘミア大森林の中のモルダウ河谷の森や丘に囲まれ、遠くアルプスの山波が薄霞のようにかすんで見える所で。小さい時は、『荒野の村』の少年のように野で家畜を飼った。本の好きな父、物静かで底知れない愛情をたたえた人柄の母、孫を連れて歩く祖父、祖母は生きた年代記、生きた伝説、生きた詩みたいな女、幼いシュティフテルに影響を与えた。1826年にはウイーン大学に入学。ゲーテを始めドイツ文学に親しむ。一方経済上の理由や恋愛関係や、内気な性質も手伝って苦労もした。『荒野の村』1840年、『ブリギッタ』は1844年に発表され、シュティフテルの名は、全ドイツ的なものとなった。その後、時代の教育になじめず、彼の理想主義的な教育の再建を目指すことに熱中した。家庭生活もそう楽しいものでなく子どもに恵まれず養女ももらったが気が狂って自殺を遂げた。幾度か旅もしたが充分な刺激を得ることはできなかった。肝臓の病気が進み、苦痛も激しく1868年1月狂気のようになり、夢中で剃刀を取り上げ、自ら生命をたってしまった。全ドイツは悲しみ、このオーストリア人の中に、本当のドイツ的な芸術家を再認識しその死を惜しんだのであった。

『オックスフォード&ケンブリッジ大学 世界一「考えさせられる」入試問題 ――国家戦略の新しいリアル』

ジョン・ファーンドン 著
小田島恒志・小田島則子 訳
（河出文庫　２０１８年１月）

本書の発行部数が伸びているのでご存知の方が多いかもしれないが、英国の名門、オックスフォード大とケンブリッジ大の面接に回答する内容である。難問奇問の目的は、「当意即妙の対応ができる学生を見つけることにある」と著者は語る。「こんな超絶な思考実験が行われている」と。

目次は、60の質問が並べられているが、一部を取り出してみよう。

過去に戻れるとしたらいつにしますか、またそれはなぜですか？
なぜ、昔、工場の煙突はあれほど高かったのですか？
幸せだ、とはどういうことですか？
あなたならリンゴをどう説明しますか？
カタツムリには意識があるでしょうか？

毛沢東主席は今日の中国を誇りに思っただろうと思いますか？
地球には人が余計にいるでしょうか？
コンピューターは良心をもつことができるでしょうか？
なぜ「神（God）」と「私（I）」は大文字で表すのでしょうか？

・**あなたは自分を利口だと思いますか？**

実に意地悪な問題である。「謙虚に『いいえ』と答えたら、その言葉通りに取られて、オクスブリジへの入学は断られるかもしれない。何といってもここは利口な人間だけが入学を許されるる大学だから。『はい』と答えたら、自分は正真正銘の馬鹿であると言っているようなものである。面接官はそのポジションからして受験者より利口であるにちがいない。利口には、狡猾と大法螺が表裏一体となった胡散臭い特性のイメージもある」。ここでの正解はひとまずオスカー・ワイルドの「私はあまりにも利口だから、時として自分が何を言っているのかひと言も理解できなくなる」であろうか。

・**もしこの紙を無限回数折りたたむことができるとしたら、何回折れば月に届くでしょうか？**

答えは43回前後。月までの距離が40万キロメートル弱だということを知っていて、紙の厚さを約0・1ミリだとすると計算で出せる。紙の厚さは折りたたむごとに倍増して急激に厚くなる。

・歴史は次の戦争をとめ得るでしょうか？

答えはほぼ確実に「いいえ」だろう。今も世界のどこかで戦争は行われており、その発端はほとんど歴史的問題に根ざしている。だが、歴史から学ぶのは誰なのか。個人？　政治家？　軍司令官？　国家？　そして基本的に意見の食いちがう世界で、どのように学んだことを実践に移すのか？　途中を飛ばすが、結論は、マキャベリの言葉、「未来を予見したいものは過去を訪ねるべきだ。なぜなら、人のすることは、常に昔起こったことと似ているから。結局、人の世を創るのは今日まで生きてきて、これからも生きる人間であり、同じ情熱によって動かされているのだから結果も必ず同じになる」にある。

・貪欲は善でしょうか、悪でしょうか？

「やはり貪欲は悪だと思う。貪欲は道徳的によろしくないだけでなく、社会のためにもならない。人々が物質面だけでなく精神面でも寛大さを失い、獲得することばかり過大なエネルギーを注ぎ込んでいる世界は、とうてい幸福な場所にならないだろう」。面白い。飽きない。『**さらに世界一**「考えさせられる」入試問題』が出版された。

人間にはなぜ目が二つあるのですか？　……

『文士たちのアメリカ留学

一九五三―一九六三』

斎藤 禎 著

（書籍工房早山 2018年12月）

ロックフェラー財団の招きにより、かつてアメリカに一年間留学した作家たちの物語である。帯によれば、「すでに第一線の文士として活躍していた**福田恒存**、**大岡昇平**、**石井桃子**、**中村光夫**、**阿川弘之**、**小島信夫**、**庄野潤三**、**有吉佐和子**、**安岡章太郎**、**江藤淳**の十人が、何故、ロックフェラー財団留学生に選抜されたのか。彼の地で彼らが見たものは何なのか。帰国後、その思想信条は変わったのだろうか、あるいは変わらなかったのか。冷戦期のアメリカですごした文士たちの留学生活を追う。」とある。

著者は、「諸君！」元編集長。

目次は以下の第1章～第10章で構成されている。

第1章 文士にとって留学は、夢のまた夢

第2章 「文士留学の仕掛け人」坂西志保と、チャールズ・B・ファーズ

第3章　阿川弘之は「原爆小説」を書いたから、アメリカに招かれたのか
第4章　大岡昇平、安岡章太郎は、アメリカで、ことに南部で何を見たのか
第5章　江藤淳、英語と格闘す
第6章　庄野潤三と名作『ガンビア滞在記』の誕生
第7章　有吉佐和子は、アメリカ人社会では間違いなく「NOBODY」だった
第8章　小島信夫は、なぜ、単身でアメリカに行ったか？
第9章　アメリカから帰った福田恆存は、「文化人」の「平和論」を果敢に攻撃した
第10章　改めて考える。ロックフェラー財団による文士のアメリカ留学とは何だったのか

当然のことながら、この留学生たちは各人各様個性豊かな留学生活を送り、帰国後に優れた作品を発表している。

・阿川弘之は『カリフォルニヤ』のなかで、日本人だということで、至る所のアパートや下宿で入居を拒絶される経験を述べている。
・安岡章太郎は『アメリカ感情旅行』で「安岡は思った。『何でも見られてやろう』」と書いている。
・庄野潤三は、人口600人、学生数はわずか500人の小さな町ガンビアの大学ケニオン・カレッジで過ごし、『ガンビア滞在記』を書いた。

・大岡昇平の作品は、『ザルツブルクの小枝　アメリカ・ヨーロッパ紀行』。外国旅行で得たものとアメリカにおけるジャップ呼ばわりの屈辱の差引勘定はプラスになるにちがいない。
・有吉佐和子はニューヨーク郊外の名門ローレンス・カレッジに留学し、人種差別問題に切り込んでいる。『緋色』。
・小島信夫の『抱擁家族』。
・福田恒存は帰国後の論文「平和にたいする疑問」が反発を食らった。しかしながら、一言でいえば、この論文は、親米とか反米とかの枠を超えていた。
・江藤淳には『アメリカと私』『成熟と喪失』などがある。「江藤はプリンストンで、『社会的な死』を体験した」。「小林秀雄に関する『英文原稿』の発表が、江藤を蘇生させた」。「午前二時まで机に向かった」。猛勉強を重ねる。一級の英語。「江藤は思った。『いくら引きとめられても、やはり日本に帰ろう』」。存在感がある。

なお、永栄潔（ながえきよし）（元「週刊朝日」副編集長、「週刊二〇世紀」編集長）によれば、財団文化部長のチャールズ・ファーズによるこの留学企画は「占領政策の失敗を取り戻す」ためで直接的には「(日本を覆う）マルクス主義に対抗する」狙いであったという。

読者が文学愛好家であればあるほど作品との対比が実に面白い。

『世界史で学べ！ 地政学』

茂木 誠 著

（祥伝社黄金文庫 2019年4月）

「地政学（ジオポリティクス）は、リアリズムの一つです。国家間の対立を、地理的条件から説明するものです。国境を接していれば、領土紛争や移民問題が必ず発生する。だから隣国同士は潜在的な敵だ、という考え方です。現在、日本との関係が悪化しているのは、隣国である中国と韓国です。日本がナイジェリアやアルゼンチンと争うことはありません。遠すぎるからです」。本書が述べる戦後の日本では地政学の研究自体が禁じられ、タブー視され、理想主義史観「お花畑歴史観」が幅をきかせてきた。著者は駿台予備学校、ネット配信のN予備校で大学入試世界史を教えている。目次は以下の10章から成る。

第1章 アメリカ帝国の衰退は不可避なのか？
第2章 台頭する中国はなぜ「悪魔」に変貌したのか？
第3章 朝鮮半島――バランサーか、コウモリか？
第4章 東南アジア諸国の合従連衡
第5章 インドの台頭は世界をどう変えるのか？

第6章　ロシア――最強のランドパワーが持つ三つの顔
第7章　拡大しすぎたヨーロッパ――統合でよみがえる悪夢
第8章　永遠の火薬庫中東1　サイクス・ピコ協定にはじまる紛争
第9章　永遠の火薬庫中東2　トルコ、イラン、イスラエル
第10章　収奪された母なる大地アフリカ

では、内容を見てみよう。

・**第二次世界大戦が「悪に対する正義の勝利」**なら、戦後の世界は戦争のない理想郷であったはず。実際には、朝鮮戦争、インドシナ戦争、中東戦争、キューバ危機、印パ戦争、チェコ事件、中ソ国境紛争、ベトナム戦争、中越戦争、カンボジア内戦、ソ連のアフガニスタン侵攻、湾岸戦争、イラク戦争……と戦禍は絶えず、日々新たな紛争が生まれているのが現実である。
・**「シーパワー」理論を見出したマハン**　海上権力を握った国が世界の覇権を握ってきた。
・**2050年にアメリカの時代**は終焉を迎える。白人は激減しており、ヒスパニック、アジア系が激増し、白人人口が50%を切る。
・**ランドパワー派**・毛沢東の大躍進政策とシーパワー派・鄧小平の改革開放政策、外資導入と市場経済による中国経済の再建。
・**インドは**2020年代後半に人口が14億人に達し、中国を抜いて世界最大となる。高齢化が

進む中国と異なり若年労働者の過剰が失業問題にまで直結する。

・**ロシアは**黒海への出口であるクリミア半島の軍港セヴァストーポリ、旧ソ連最大の穀倉地帯、鉄鉱石の大産地を持つウクライナを絶対に手放さない。

・**北方領土の解決策**。沖縄方式で日露が軍事協定を結び、四島返還後も国後、択捉のロシア軍基地を残す。アメリカの反発が予想されるが、この問題の種をまいたのはアメリカである。

（ヨーロッパ関連は省略）

・**アフリカ大陸は**、人類のふるさと。南スーダンの独立やマグリブ諸国とナイジェリアの課題がある。

・**日本は**、自主防衛を実現し、東アジアにおける自由主義諸国のリーダーになることである。

なお、本書には地図、解説図が多数載っており、解りやすい。例えば、「南北回廊と東西回廊」「中国のインド包囲網」「アジアとヨーロッパを結ぶ物流の要所」等。

また、コラム形式で「世界を読み解くポイント」として「華僑・華人・客家・苦力」「マッキンダーのラウンドパワー理論」「ブラック・アフリカ」など15項目が参考になる。

追記

　類書、好著に北岡伸一『世界地図を読み直す――協力と均衡の地政学』（新潮選書）があり、お薦めです。

『ぼくはイエローでホワイトで、ちょっとブルー』

ブレイディみかこ 著
（新潮社　２０１９年６月）

最初にあらすじを紹介しよう。

日本人女性がアイルランド人の男性を配偶者として、11歳の息子と三人で英国の南部にあるブライトンの街で暮らしている。

息子が通うのはエリート校ではなく以前まで最底辺と言われた地域の学校である。そこでは白人労働者階級、移民の子、貧困者などさまざまな出自の生徒たちが通っている。これは著者が中学生になった息子を通してリアルなイギリスの社会・教育の現状を報告したものであり、子どもの知的・精神的・社会的成長の記録でもある。

この母親は優れた観察者であり、保育者、差別も経験した。配偶者はもと銀行員で、失職した後は昔からやりたかったと大型ダンプの運転手になったという人物だ。

息子が通った小学校はカトリックの名門校であったが、進学に際して学校見学に行く。私立名門校と地元公立中学校。前者では教室の前の方では教師が熱心に教え、生徒も熱心に学んでいるが、教室の後ろの方ではついてゆけない生徒たちが遊んでいる。「**教室内の前後格差**」。うまい。地元の中学校の方では、2、3人の生徒が廊下で机を挟み教師と話している。理由は、「**取り残されている生徒を作らないことが、この学校の最大事であるから**」。この「元底辺中学校」は中位まで上昇してきたが、「殺伐とした英国社会を反映するリアルな学校」で、「いじめやレイシズムも喧嘩も絶えないし、眉毛のないコワモテのお兄ちゃんや、ケバ化粧のお姉ちゃんもいる」。

親の懸念をよそに息子は悩みながらも多種多様な友達とそれぞれ一対一の関係を作りながら自分の立ち位置を模索していく。経済格差、性差、出身などに応じて子どもたちはアイデンティティーのカードを持っている。本書に登場する教師はよく生徒の方を見ている。人種差別も多元という複雑な社会で問題は多いが立ち向かっている。親たちも学校内外でボランティアとして支援を惜しまない。この母親も中古ミシンを使い学校の制服のリサイクルを応援する。これを貧しい友人に、いかにプライドを傷つけることなく手渡すか、母と息子の気づかう場面も秀逸である。

イギリス社会の混乱においては、EU離脱問題、人種差別、福祉制度、欠食児童など数々の課題が山積している。面白いのは、地元中学生の「地球温暖化対策を求める学生運動の世界的な広がりをマクロな問題ではない。元底辺中学校の生徒たちが経験した不条理というたいへんミクロな問題なのだが、**ミクロとマクロは焼き鳥の肉と串の様につながっていなければならな**

い（無数の肉がミクロで、それらを突き刺す長大な串がマクロというのがわたしの持説だ）」との表現である。また、どうしても紹介しておきたいのが社会科・公民の授業である。期末試験に「エンパシーとは何か」という問題が出た。シンパシーは「同情」、まだ相手との間に距離がある。エンパシーはもっと温かく積極的・能動的な「共感」「感情移入」である。息子はこの問いに「**自分で誰かの靴を履いてみること**」と答えた（他人の立場に立ってみるという意味。英語の定型表現とは言え）。また、「子どもの権利を三つ挙げよ」では、「**教育を受ける権利、保護される権利、声を聞いてもらう権利**」と。見事だ。

親子三人の会話が出来すぎのように思われるが、著者の社会に対する観察眼が鋭く、ユーモアを交えて軽快に飛ばす本著には堪能させられた。

『記憶の海辺　一つの同時代史』

池内　紀著

（青土社　2017年12月）

　2012年10月から「教育PRO」の「この一冊」欄を担当して早や7年が経過した。楽屋裏話で恐縮だが、筆者も書評委員として河田修、湯峯裕両先生の末席に連なり輪番に書いている。現在の立ち位置として、選書はお二人の領域をなるべく避けて、ノンフィクション、経済、社会学、アフリカ系、エッセイなどの新刊（1～2年）を対象にしている。かねてより「本」は大好きで、書評委員にしていただいてからは、土・日の日経、産経、朝日、毎日、読売各紙の書評欄に目を通し、週刊誌は「News Week」「エコノミスト」など、月刊誌では「文芸春秋」「Hanada」「WIIL」「Wedge」「正論」を読んでいる。最近廃刊も多いが、「図書」をはじめ出版社のPR誌も欠かせない。グランフロントの紀伊国屋書店へは最低週2回は訪れ、駅近くの書店も立ち寄る（毎日書店に行かないと落ち着かない人もいると聞くが）。また、一夜に10冊以上は読むという異才の人

がいるこの世、週に数冊（新書・ハードカバー）程度ではいかにも平凡であるけれど。

さて、去る8月に亡くなった池内紀の『記憶の海辺』。著者は1940年生まれ、ドイツ文学者・エッセイスト。評者（深尾）より1歳年下で同時代を生き親和性が強い。翻訳本はあまり読んでいないが、ドイツ、旅、人生観、居酒屋などがキーワードの本に随分教えられることが多かった。「二〇歳のときの朝鮮戦争から、カフカ訳を終えた六〇歳までをたどっている。おぼつかない自分の人生の軌跡をたどって、何を実証しようとしたのだろう。念願としたのは私的な記録を通した時代とのかかわりだった。同時代の精神的な軌跡の証立てだった。一つの軽はずみな生きものを、うっかりわが身に引き受けて、当然のことながら悪銭苦闘した。（中略）自分に許されたひとめぐりの人生の輪が、あきらかにあとわずかで閉じようとしている。そのまぎわに何とか書き終えた」と、あとがきに書かれている。

目次は次のとおり。

・姫路市で生まれた。「へんてこな『昭和の子』である。戦争が終わったとき、まだほんのハナたらしであって、戦中の記憶はない」。

・高校に進んだ年に兄が現場の事故で死んだ。帰途車中、「足元に骨箱がころがっていた。母も姉も弟も眠りこけていた。眠りはいかなる悲しみよりも強いのである」。

・大学卒業後、一流企業に就職した同窓と銀座で出くわし励まされたが、「私は別に自分が落伍者とも、遅れをとったとも考えていなかった。サラリーマンになりたくない。生活は安定するだろうが、すべての時間をサラリーのために取られてしまうのは、自分を裏切るような気がした」と。確かに著者は自己を持っていた。

・「1967年7月、はじめて私はウイーンへ行った。オーストリア政府奨学金という制度があって、運よくそれにありついた」。

・ウイーン大学の現地の法学部学生・エーリッヒと「言葉の交換」としてドイツ語のテキストはカール・クラウスの『人類最期の日々』、日本語は石川淳の小説『焼け跡のイエス』。双方が訳文を作って読み合わせをする。充実した青春が羨ましい。

・1986年8月、チェコ事件に遭遇する。留学生の見た「プラハの春」を加藤周一に乞われて報告している。「作家、音楽家、芸術家、学者などは、幸福の絶頂でした」。

・「ヨーロッパからもどってくると勤め先の大学が大学紛争で封鎖されて秋の授業が始まらない。同僚たちは連日、会議と対策に明け暮れていたがこちらは竜宮から帰ってきた浦島太郎であった」。

・「懐のさみしいドイツ語講師のすることといえば、町をほっつきまわるか、映画に行くか、図書館に出入りするかである。大学図書館で哲学者・美術家、小林太市郎の『寄贈図書』に巡り合う。小林のとてつもない学識を知るには、『中国陶覧見聞録』がよい」。

・「神戸にいた六年間に、私はカール・クラウスの『人類最期の日々』とエリアス・カネッティの『眩暈』の翻訳をした」。

・30代の5年余り、都下国分寺に住む。「月に一度、駅前の中華料理で夕食をとるのが、つましい一家の豪遊だった。そのころは五千円札一枚で親子四人が、けっこう品数が取れたのである」。確かにそうであった。

・45歳のとき、東大の教師になり、55歳で東大教授を辞めた。三つの予定を立てた。一・カフカの小説をひとりで全部訳す。二、北から南まで好きな山に登る。三、なるたけモノを持たない生活をする。

・アンソロジー『ちくま文庫の森』で、画家安野光雅、数学者森毅、劇作家・作家井上ひさしとともに編集委員になる。「おもしろい小説の定義は人によって異なる。話術のおもしろさ、意表をつくおもしろさ、素材のおもしろさ、論理のおもしろさ、わけのわからないおもしろさ、なんてことないのでおもしろいといったケースもある。（中略）編集会議は、記憶のなかの宝さがしといったおもむきがあった」。

・1991年に89歳の女優・映画監督のレニ・リーフェンシュタールに会見。1936年のベルリン・オリンピックの記録映画。ナチス党大会の記録もある。会見では「ヒットラーがあらわれた。あなたにとって、黒い天使だったようですね」、「ヒットラーとの出会いによって大きな仕事の場がひらけました。とともに、それがその後の一切の不幸のもとともなりました」と。

・ギュンター・グラスのインタビュー。1996年、不機嫌なやり取りの中、最近作『はてしなき荒野』を話題にし、「簡易エレベーターといった役まわりで、扉のない鉄の函をつないで、循環式に建物を上下に廻していく。人は函がくれば乗り、望みの階でとび下りる。教会には木の玉を結んだ数珠があって、玉をたぐりながら、みんなで祈祷を唱和する儀式があり、パーテルノステル（われらが父よ）と呼ばれている。簡易エレベーターはそんな数珠にちなんでいる。『ドイツの歴史への巧みな比喩として、あざやかでしたね』と。「やおらパイプに火をつけ、さ、イッパイやろう」。池内氏の面目躍如の一場面である。

・「カフカの小説の全訳に6年かかった。やり終えたとき、版元が加わっているタブロイド版のPR紙に、おどけをまじえて書いた。『全六巻・総頁数二千四百・四百字詰原稿用紙四千八百枚・二百字詰をあてたので総数九千六百枚』。（中略）『どの程度まで本来のカフカを日本語で再現できたか、自分ではわからない。とにかく全力投球した。そして多くを学び、多くに気がつき、多くの原稿用紙を消費して、視力を大きく失った』」。

なお、繰り返すが、各章の冒頭に年代記（1950〜1996――この年として）を掲げ、その時代に筆者は何を考え、何をしたか。55歳で筆一本の生活に入ったのも、権威を嫌った人らしい。人と群れることを好まず「仕事の切れ目が縁の切れ目」とうそぶいたが、人への優しさは欠かさない。なすべき仕事をし終え、静かに筆を置いて旅立っていった。同時代を生きた評者も人生を振り返りながら哀惜の念と共に再読した。会者定離。

『教育格差 ――階層・地域・学歴』

松岡亮二 著
（ちくま新書 2019年7月）

経済協力開発機構（OECD）が79ヵ国・地域の15歳を対象に3年おきに行っている学習到達度調査（2018年）の結果が公表され、我が国の読解力が低下し、4位だった前々回から8位、15位と二回連続で低下した。参加国・地域が増え続けているため、成績の良い国が増えた相対的順位低下らしい。とはいえ、国際競争の観点から日本の停滞は憂慮せざるを得ない。

本書の表紙裏にある要約には、「出身家庭と地域という本人にはどうしようもない初期条件によって子供の最終学歴は異なり、それは収入・職業・健康など様々な格差の基盤となる。つまり日本は、『生まれ』で人生の選択肢・可能性が大きく制限される。『緩やかな身分社会』、なのだ。本書は、戦後から現在までの動向、就学前～高校までの各教育段階国際比較と、教育格差の検証。（中略）採るべき現実的な対策を提案する」とある。

著者はハワイ州立大学マノア校教育学部博士課程教育政策学専攻修了。博士（教育学）。現在早稲田大学准教授。
目次は次のとおり。

本書は、幼児教育から小学校、中学・高校に至るまで、学校が生まれによる学力格差を助長している実態を確認し、格差が再生産されていくことを冷徹に浮き彫りにしていく。例外的に低偏差値の高校から一流大学へ進学する子どももいるが、そこでも「生まれ」による差が存在している。また、大規模な社会調査（SMS）から得られた個人・学校単位の膨大なデータを駆使し、高度で丁寧な実証分析に基づいている点が秀逸である。教育格差は他の先進国でも普通に見られ、日本が「**凡庸な教育格差社会**」だという指摘は注目に値する。教育格差は望ましくない。できるだけ格差縮小を目指す政策介入が必要で、2つの提案がなされる。**分析可能なデータを収集する。**効果測定に基づく改革と検証という地道な繰り返し。第二に「**教職課程で『教育格差』を必須に**」する。と、計量社会学者として的確な政策提言が示されている。

「子どもの可能性が無限である以上、教師も親も本人も『満点』になることはない。（中略）常に『もっとできたはず』。」「あなたも私も、生きている限り『こんなもんじゃない』のである」。

著者には世界の構成を理解したいという要求があり、なぜ勉強しなければならないのか、なぜ受験があるのか、なぜ主要科目は国数社理英なのか、なぜ大卒でないと入れない会社があるのか、こうした疑問に回答を得られたことがなく「そういうものだ」と。だが教育については、「どのような社会を生きたいのか」、本著で基盤を整備したと言う。著者の情熱に期待したい。

新書ながら380頁。文献リストが21頁に注記も325件。データを参照しつつ読了するには、少々忍耐を要するが一読してもらいたい一冊である。

『旅の効用 ——人はなぜ移動するのか』

ペール・アンデション 著
畔上 司 訳
（草思社 2020年1月）

多くの人に出会い、たくさんの本を読み、数多くの旅を重ねる。「**人と本と旅**」が、人を成長させ人生を豊かにすると思っている。

著者のペール・アンデションは、1962年スウェーデン生まれの人気ジャーナリストで作家。初の邦訳。旅行誌「ヴァガボンド」の共同創業者。過去30年にわたってインドを中心に世界各地をバックパッカー、ヒッチハイカーとして旅をしている。

本書の目次は次のとおり。

1．閉じられていた戸が開く／2．「ここではない、どこか」という憧れ／3．「明日は分からない」旅へ／4．列車よ、私を遠くに連れてってくれ／5．遠く、放浪へ／6．さまよう惑星の上を行ったり来たり／7．カメのように、カタツムリのように／8．何度も戻る。何度も続ける／9．いったいなぜ、私たちは旅をするのか／10．ヒッチハイクの愉悦と憂鬱／11．遠い過去へと戻る旅立ち／12．国境を越えて、自由に動き続ける／13．自由な旅人、無鉄砲な旅人／14．世界の旅行記を旅する／15．人は旅で本当に変わるか／16．旅と病の間／17．世界の不安と旅不足／18．旅の終わりという始まり

著者は、空の旅は感覚を歪めると考え、列車、ヒッチハイク、ラクダなどの旅を選んでいる。友人ペトラの住むギリシャのナクソス島やインド・ムンバイには何度も戻り、リピーターの愉悦を満喫しているが、一方北京の小路でお茶を注いでくれた老人との一度きりの邂逅も捨てがたい。

・「**カメのように、カタツムリのように**」では、「目的地に至るまでの過程が旅の重要部分なのだ。目標、目的地に集中し過ぎると、旅に満足できなくなる」とある。
・「**いったいなぜ、私たちは旅をするのか**」では、「探すのをやめないこと。旅をやめないこと。なぜなら広い世界が待っているからだ。世界が小さくなることはない」と。
・「**ヒッチハイクの愉悦と憂鬱**」では、ヒッチハイクの変遷と功罪を掘り下げる。道端で親指を立てていると、貧困、犯罪、奇矯と連想された。安全志向が高まるとともに、ヒッチハイク文化の滅亡が加速された。本当は安全運転にある。
・「**旅とは移動であり、自宅から外に出て行くことである。**とすれば、外界と接触し日常生活

から脱却することになり、場合によっては、日頃は表面化しない自分の内面に気づくことも当然ありうる。」

評者（深尾）も旅は大好き。世界80ヵ国、300都市は訪ねた。インドはたった一度の回顧ながら著者に倣って一場面を残そう。

2003年9月。一人旅。特別列車シャタブディ・エクスプレスに乗り、ニューデリーからアーグラーまで約2時間。往路はインド人紡績会社のニシャド（GM. Nishad）さん、復路は在チリ電器会社のスティーブ（Steve）さんとの会話。「チリへ来ませんか?」。昔、ムガル王朝の都アーグラーに世界一美しいタージ・マハルが聳える。インドはカオス。群れなすリクシャー、道の中央に牛が悠々と横たわり、渋滞した車の窓に物乞いが押し寄せてくる。街中に圧倒される人、人、人。清濁、美醜を超えて蒸し暑さと喧騒の中を歩き廻る時に感じるこの魅力とは一体何であろうか。興味津津。

訳者　畔上司（あぜがみ・つかさ）

1951年生まれ。東京大学経済学部卒。日本航空勤務を経て現在ドイツ文学・英米文学翻訳家。

『老いてこそ生き甲斐』

石原慎太郎 著
（幻冬舎　2020年3月）

評者の7歳年長の巨人、石原慎太郎（1932年生まれ）作品は永年結構読んできた。近年は昔話、穏やかなものが増えてきた印象が強いが、その中から本書を紹介したい。目次は次のとおり。

第1章　「老い」の定義／第2章　親しい人間の死／第3章　長生きの是非
第4章　肉体的挑戦／第5章　執着の断絶／第6章　過去への郷愁
第7章　人生の配当／第8章　老いたる者の責任

「老化にともない誰にでも現れる不可避な現象は病気ではなしに『生理的老化』と呼ばれる現象で、皮膚の皺、染み、老眼、白内障、難聴、骨量減、動脈硬化、筋肉量の減少など枚挙に遑（いとま）がありません」。

「老いの先には必ず死が待ち受けています。そして死については誰も知らない。故に死は人間にとって最後の未知、未来ということです。（中略）人は死を恐れるのですが、それは人生の必然であって、死が近づいてくる老いの最中でそれを恐れてもどうなるものでもありません」。「自分以外の人間の死は皮肉なことに今こうして生きていて他人の訃報を聞き取った己との対比で、ある活力を与えてくれるものです。それは人間の備えたエゴの醜い発露かもしれないが、皮肉な真実、事実でもある。他者の死との比較で確認される己の実在への皮肉な感動は、新しいエネルギーをもたらしてくれる」。「老いに対する立ち向かいの術は、まず何よりも慨嘆しないことです。つまりこの自分には必ず明日があり、さらにまたその翌日もあるのだと自覚して、その日何をするかを積極的に考え、（中略）老いのもたらす怠惰のままに行き当たりばったり過ごさない」。

著者は呆気ない程まともに「老い」を見つめている。この「平凡」の中の「非凡」を堪能した。「人間は誰しも必ず死ぬのです。それまでの老いをいかに生き抜くかが、その人生の本当の意味をなすことになるのです」。三島由紀夫、川端康成、江藤淳、西部邁などの自殺に対し、石原慎太郎の「老いと戦う」姿勢に全く同感である。

「老いてはいても常に新しい生き甲斐を見出し、与えられた天寿を全うすることこそが人生の見事な完成になり得るはずです」。「気品を備えて生き抜く」。これこそ我が目標だ。百尺竿頭。

『あやうく一生懸命生きるところだった』

ハ・ワン 著
岡崎暢子 訳
（ダイヤモンド社　2020年1月）

著者は韓国人イラストレーター。会社員との兼業だったが、40歳になるのをきっかけに、会社を辞め、我慢することも、ベストを尽くすこともやめた。なぜ一生懸命生きていけないかを滔々と説いている。脱力感満載だ。併せて1コマ漫画があり、ブリーフ1丁の男が胡坐をかいて「俗世の服を脱いだら気分爽快だなあ　すこし肌寒い気もするけど……」と和ませる。著者の自画像か。

目次を追うと、「必死に生きないため」の名言が並んでいる。

今日から、必死に生きないと決めた／何のために頑張っているんだっけ？／努力は必ず報われるわけじゃない／もう「金持ち」になるのはあきらめた／必要なのは、失敗を認める勇気／そこまで深刻に生きるものじゃない／自由を売ったお金で自由を買っている／「何もしない」とは、究極の贅沢／たまには年齢を忘れてみる／「むだ足」こそ、人生／あなたの内面はパンツに表れる／「やりたい仕事」なんて探しても見つからない／いつかはみんな会社を辞める／ないならないなりに暮らせばいい／思い通りにいかないほうが正常だ／ダメな自分を認めたら、自尊感が増してきた／何かを失うと、何かを得られる／大切なのは「結果」ではなく「物語」／人生、意外と悪くないかも／さよなら、一生懸命の人生。

どうですこの金言集（?）。さらに詳しく見てみると。

・**必死に努力したからといって、必ずしも見返りがあるとは限らない**。必死にやらなかったからといって、見返りがないわけでもない。
・僕らは、今日も「やる気の証明」として残業をする。定時退社はやる気ゼロと見なされるから。その結果、会社は成長していくのに、なぜか僕らの給料は成長しない。
・運命論者ではないが、**人生には自分の力でどうにもできない部分が多い**という点には同意するほかない。片思いしている相手の気持ちを自分がコントロールできないように。
・自分の時間をほしがっていた理由は、何かをしたいからではなく、何もしたくなかったからではないか。時間は、何かをしてこそ意味があるわけではない。**時には、何もしない時間にこそ大きな意味がある。**

・本当にやりたいことが何なのかわからない？　でも大丈夫。無理やり探そうとしなくていい。いつの日か、向こうからやってくるから。**人それぞれのやり方で恋愛**（仕事）**すればいいのだから。**

・最近「ＹＯＬＯ」という単語が流行しているらしい。「人生は一度きり（You Only Live Once.）」という意味で、未来または他人のために今を犠牲にせず、現在の幸せのために消費しようというライフスタイルを指す言葉だ。今の自分？

・結局、人生は、どう捉えるか。理想どおりにならなくても人生は失敗じゃない。**人生に失敗なんてものはない。自分が自分の人生を愛さずして、誰が愛してくれるだろうか？**

この脱力人生訓エッセイが韓国ではベストセラーになっているそうだ。評者（80歳）の半分の人生で語られても時すでに遅し。ではあるが微苦笑を交えて納得でもある。一読を。

『ある一生』

ローベルト・ゼーターラー 著
浅井晶子 訳
（新潮社　2019年6月）

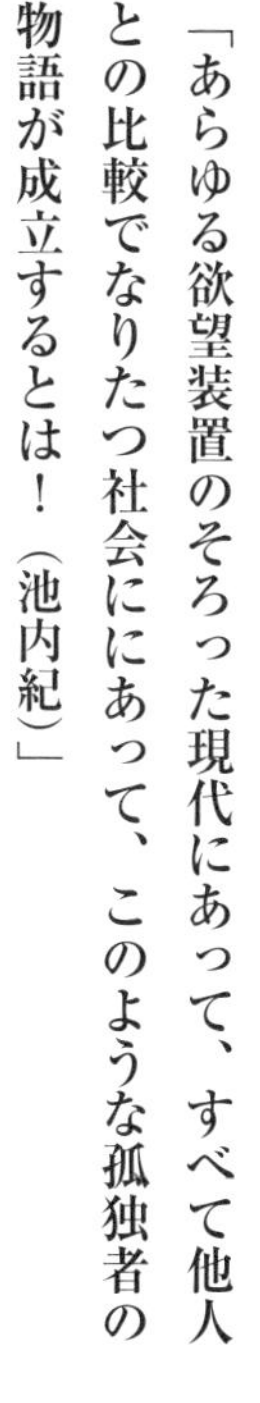

「あらゆる欲望装置のそろった現代にあって、すべて他人との比較でなりたつ社会にあって、このような孤独者の物語が成立するとは！（池内紀）」

　産経新聞に「モンテーニュとの対話『随想録』を読みながら」という連載がある。孫引きになるが桑原聡が東京新聞の書評を読んだきっかけで紹介した記事を読んで、本書紹介のきっかけになった。

『ある一生』のあらすじはこんな物語である。

　私生児として生まれたエッガーは母を亡くしたため１９０２年の夏、アルプス山麓の町で農場を経営する家に引き取られる。４歳だった。冷酷な養い親に酷使され、粗相をすると鞭でしたたかに打たれる日々。あるとき、鞭が足の骨を砕き、エッガーは足を引きずる体になる。障害がありながらもたくましく育ったエッガーは、養い親の家を出て、森林限界にある小屋付きの土地を借りて自立した生活を始める。食堂で働くマリーに恋をし、自分の気持ちを山肌の火文字に託して求婚する。ロープウェー建設会社に雇われ黙々と仕事に従事。けれども雪崩が小屋と妻を飲み込み幸福な日々は続かない。やがてヒトラーの戦争が始まる。エッガーはソ連に送られて捕虜となり、8年もの虜囚生活を送る。〈収容所の裏にある白樺の林に埋められる死者の数を数えるのをやめた。カビがパンの一部であるように、死は生の一部だった。死とは熱だ。死とは飢えだった〉。しばらくの間エッガーは、戦争帰還兵として国から支給される除隊金で暮らした。やがて山岳ガイドとして生計を立て、人間というものについて理解しきれないほど多くを学んだ。〈思いもしなかった長生きをし、子ども時代と、ひとつの戦争と、一度の雪崩を生き延び、決して骨身を惜しまず働き、自分で知る限りではこれといった罪も犯さず、酒、女、美食といったこの世の誘惑にも決して溺れることはなかった。人を愛した〉。79歳になったエッガーはおおむね満足のいく人生だったと感じながら、自宅の小屋で息を引き取る。

17歳で徴兵検査に呼び出された折、働き手を失うことを恐れた養い親が、強い異議を申し立てそれが認められたとき、エッガーは心の中で冷酷な養い親に感謝する。その理由を著者は、〈人生で失うものなどなかったが、それでも、人生からまだ得られるものはあると思っていたからだ〉と。

〈人の時間は買える。人の日々を盗むことはできるし。でもな、それぞれの瞬間だけは、ひと

つたりとも奪うことはできない。そういうことだ。さあ、とっとと出て行ってくれ！〉。妻を守るためもっと仕事がほしいと、会社の部長に掛け合った折、仕事を増やし、時給を増やすと返された時の言葉だ。

欲望に起因する際限のない不満足感と将来への不安にさいなまれ、それを解消するために「いま」という貴重な時間を消費しているからだろう。

己の人生の価値を世間や他人のものさしで測らない、測ろうと思いつきもしない。アンドレアス・エッガーは言う。「**足はひとりで引きずるもんだ**」。

著者　ローベルト・ゼーターラー（Robert Seethaler）
１９６６年ウィーン生まれ。オーストリアの作家・脚本家・俳優。数々の舞台や映像作品に出演後、２００６年『蜂とクルト』で作家デビュー。『ある一生』は２０１４年の刊行以来、ベストセラーとなりドイツ語圏で80万部を突破。

訳者　浅井晶子（あさい・しょうこ）
１９７３年大阪府生まれ。京都大学大学院博士課程単位認定退学。２００３年マックス・ダウテンダイ翻訳賞受賞。訳書多数。

『ME ELTON JOHN エルトン・ジョン自伝』

エルトン・ジョン 著
川村まゆみ 訳
（ヤマハミュージックエンタテイメントホールディングス　２０２０年5月）

２０００年1月、年末年始をハワイ・ワイキキで過ごした。カハラ・マンダリン・オリエンタルのロビー・ラウンジで次男と飲んでいると数人の黒服ボディガードを引き連れて近づいてきたのがエルトン・ジョンだった。顔は青白く病弱風に見えたがその風圧は強かった。圧倒。残映は鮮明だ。

本書の目次は、prologue から epilogue まで one ～ seventeen の17章、索引を含めて３６８頁の大書である。

表紙の裏にこうある。「ロンドン郊外の町ピナーで育ったレジナルド・ドワイトは、ポップ・スターを夢見る内気な少年だった。両親が不仲の家庭は常に居心地が悪く、レコード収集とヒットチャートを眺めることだけが心の拠り所だった。ピアノに非凡な才能を見せていたレグ少年は、やがて『エルトン・ジョン』に名前を変え、鮮やかなオーバーオールと星をちりばめたT

シャツに、翼付きのブーツといういで立ちで会場を沸かせるロック・スターとなる。エルトン・ジョンの登場は、その後音楽の世界を劇的に変え、あらゆる記録を塗り替えた」。「ソングライティング・パートナー、バーニー・トービンとの運命的な出会い。突然訪れた名声によって急激に変化する私生活。メディアによるバッシングとの攻防。ジョン・レノン、フレディ・マーキュリー、ジョージ・マイケル、エリザベス女王ら、数々のアーティストやセレブリティたちとの親交。一方、華やかな栄光の陰でエルトンはドラッグ中毒に陥り、自殺まで試みた」。

市井の一人である評者も75歳で「自分史」を発刊した経験をもつが、どこまで裸になれるか。海水パンツは脱げなかったがエルトンは実に赤裸々に書いている。

・僕は１９４７年生まれ、実質的には戦争の落とし子だ。父さんが英国空軍の休暇中に、母さんは僕を妊娠したらしい。父さんは17歳で母さんは16歳。

・我が家には祖母のピアノがあり、僕がピアノの神童と家族の間では山ほど語り継がれていた。

・11歳の時、ピアノの先生からセントラル・ロンドンにある王立音楽院へ行くよう勧められた。その頃両親は離婚した。

・必死で仕事をして、どれだけ綿密に計画を立てても、直観が全てという瞬間、自分の本能あるいは運命を信じる瞬間もある。『エイミー』『ロケット・マン』『モナ・リザ・アンド・マッド・ハンター』。

・ゲイであることを最後に打ち明けたのは、母さんとダフーだ。ゲイだと告白しても母さんは全然驚いていない様子だった。
・1975年10月、ロサンゼルスでエルトン・ジョン週間が開催され、ウェンヴリー・スタジアムでは82，000人が集まった。ボーイング707をチャーターして、母さんとダフー、祖母、大勢の友達をイギリスから呼び寄せた。僕の成功を喜んでくれていた。しかし、僕はまたもや死のうと決意した。大量のヴァリュウムと錠剤をひと山飲んでプールに身を投げた。
・ジョン・レノンとヨーコとの親交であらゆるものを持つ男にふさわしいプレゼントとして、正時になると鳩の代わりに木製の大きなペニスが飛び出す鳩時計を買った。
・1980年9月、セントラル・パークで50万人を前に演奏した。ドナルド・ダックの衣装で。
・1984年2月、レコーディング・エンジニア、レナーテ・ブラウエルと結婚。僕は大量のコカインと一緒に一人きり部屋にこもることが多く離婚した。
・2005年12月、デヴィッドと僕がシビル・パートナーになった日。生まれてからいちばん幸せだったと。その写真がある。
「僕はけた外れの人生を送ってきたし、今も送っている。後悔する部分もあるが、人生を変えようとはまったく思わない。今の結果に心から満足しているから。――男性と結婚し、二人の子どもの父親になる。次は何が起こるんだろう?」。この物語は、生きるレジェンドの桁外れの人生を、読者は味わうことができる。後は本文に譲りたい。

ちなみに少し古い版「Elton John Love Songs」（William A Bong Ltd. 1995年）を聴きながら、この原稿を書いた。「1 Sacrifice　2 Candle In The Wind　3 I Guess That's Why They Call It The Blues　4 Don't Let The Sun Go Down On Me　5 Sorry Seems To Be The Hardest Word　6 Blue Eyes　7 Daniel　8 Nikita　9 Your Song　10 The One　11 Someone Saved My Life Tonight　12 True Love　13 Can You Feel The Love Tonight　14 Circle Of Life　15 Blessed　16 Please　17 Song For Guy」

１９９７年事故死したダイアナ妃に捧げたシングル「キャンドル・イン・ザ・ウィンド1997／ユー・ルック・トゥナイト」が全世界で３，７００万枚以上を売上、史上最大のヒット曲となり、１９９８年にはナイトの叙勲を受けたことも付記しておきたい。

あとがき

2018年3月に出版した『私のアフリカ、私の旅』のあとがきの冒頭に『『知の散歩道』(自分史)を2014年9月に自費出版して、3年が経過した。その後に執筆した紀行・エッセイ・書評を再び一冊にまとめて置きたく、前著の一部を再掲して本書を編んだ」と書いているが、その後もあまり進歩なく、同様の心境で再び本著を出版することにした。

明治時代の詩人・随筆家大町桂月(1869~1925)の長男文衛(学者)が『蟲・人・自然』(養徳社 1947年5月)と題する科学的随想・紀行文を出版した。その中に「余は一般の読者のために書いたつもりである。然し、自分をよくしつてゐて呉れる人が読んで呉れたら、その意の足らぬ處もさとつてくれようし、文章の拙い處も赦してくれようと思つている。それと同時に又此等の文章によつて一人でも余を知る人の多くならんことを願つてゐる。この書が全ての読者への廻覧の手紙とならんことを祈つている。余はまた漱石の言葉、自分の書いたものは私生児のやうなものだといふ言葉も思い出す。可愛いいには可愛いいが、世間に出すには恥ずかしい気がするといふ。これは誰しもの心であらう。ただ余はこの一書が父の気に入るか入らぬか、叱られはしまいかと心配してゐる」とある。

本著に付けられた題名『人と地球をたずねて』は、私も文衛の心境と漱石の言葉に相通じるものがあり、若干恥ずかしいとの思いもあるが、八十路の身、もう許されるかと開き直っている処でもある。

一方、自分の書いたエッセイ・評論・書評がきっかけで誰かが人生において大切な何かを発見するとすれば、こんな幸せなことはない。と、大それた空想をしながら執筆する喜びは何物にも代えがたい。読者の皆さんの寛容を願うばかりである。

前著『私のアフリカ、私の旅』のあとがきの〝思い出す人々〟に50ヵ国70人を記録したが、その後、名刺や手紙が出てきて鮮やかに思い出した人を追加補記しておきたい。

- **ナイジェリア・カノー**　取引先デザイナーのレバノン人タヒール（T. Taher）。在カドナ時代我が家に度々宿泊した。一方、彼のロンドンのマンションを利用させてもらった。
- **ナイジェリア・スレジャ**　豪族エミア（王様）ムサ（Alhaji Ibrahim Do Do Musa）。アレワ紡績の反物と大豆の物々交換をして日本人用に豆腐を作っていた。
- **ナイジェリア・カドナ**　香港人チュー（K. Chu）。朗らかでテニスが上手い青年。
- **エチオピア・アジスアベバ**　通訳アセファ・ゲネツ（Asefa Genetu）。熱心な人。アジスアベバ大学言語学教授ビンヤン（Dr. Binyan）には研究室、隣接博物館を案内してもらい、「Lucy Restaurant」にてエチオピアの食事の説明を受けながらランチをご馳走になる。
- **ブラジル・ブラスコット**　ジン（Gin）工場主任。秦泉寺夫妻。来日時に自宅に招いた。
- **スペイン・マドリード**　エミリオ・ヒメネス（E. Jimenez)。伊藤忠現地駐在員。バルへ行き生ハムを食す。

ジョーネット（Miquel Jornet）。サバデルに住む。訪問時に地下のワイン倉庫でベネンシアドールを実演。円筒形・底が半球形の金属棒で樽（ボタ）の穴から汲出し1メートル以上の高さからグラスに注ぎテイスティングをする。見事。

・ドイツ・デュセルドルフ 我々と同じフロア（二階）に住むフロイデンタール（K. Freudental）。ビジネスマン。休日、子どもにリュックを背負わせ、リスや兎の来る庭に降りてきて、時々一緒にランチを共にした。

ドイツ語の家庭教師エンゲルス（G. Engels）。妻と一緒に学んだが、出張などで欠席が多く、妻に先を越された。

アンネ・ブハー（A.D. Buhr）。秘書メンネさんの姪で、福祉専攻の大学生、我が家へ時々来訪した。

・ドイツ・フランクフルト ヘキスト本社のブラウン（Dr. Brown）部長。ナイジェリア時代からのお付き合い。「ブラウン」の電動剃刀をお土産にいただいた。

・フランス・パリ 自営業ポール・レミー（J.P. Remy）には自宅へ招待され、また送別会はエッフェル塔で、ディナーをご馳走になる。

マリス・ギノー（Maryse Guinot）。コートジボアールにあるユニチカの合弁会社ユテキシの事務所在パリ女性スタッフ。サントノーレの街中で偶然出会う。

・リトアニア・ヴィルニュス 旧市街カテドウロス広場で4人並んだ少女の写真を撮る。後日、関西国際空港の阪南大学写真展に出展した。

・**オーストラリア・シドニー**　２０１３年、孫と二人旅。シドニーから列車で1時間半のターレンポートに住む五月女絵里さん（夫はオーストラリア人のバスの運転手）にオーストラリアの生活実態を聞く。

・**バングラディシュ・ダッカ**　グラミン銀行のシニア部長モシェド（G. Morshed）。ノーベル平和賞受賞者ムハマド・ユヌス博士面談の折には丁寧なサポートに預かった。

・**ミャンマー・ヤンゴン**　横飛裕子さん（在ヤンゴン17年／現在は人身売買調整員）に、巨大な寝仏で名高いチャウッターヂー・パヤをはじめ各所を案内してもらい、最終、サクラ・タワー20Ｆで市街を一望した。

・**フィリピン・ケソン**　フィリピン大学（University of the Philippines）教授レオ・ザフラ（Leo Zafra）。大学キャンパスの案内をしてもらう。

・**マカオ**　エスコラ・聖パウロ校の長身の神父・校長アレジャンド（E. Alejando）先生。生徒への接し方が実に愛情深く感じられた。

・**台湾・台湾市**　アリス・フー（Alice Mei-fang FU）。英語の先生。戦前、大連時代、義父が病院長、傅先生が副院長、そのお孫さん。両親、次男も訪台時にはお世話になった。

・**日本・大阪**　モンゴル人日本留学生セレンゲ（Selenge Chuluunbaatar）。我が家でホームステイ。数年後に東京で会食。礼儀正しい女子学生だった。

２０２０年に入って新型コロナウイルスの影響下、海外へ出かけるのは困難になった。２０１９年11月、７回目の訪問以降、毎年訪れたフィリピンの二つのカレッジ「Rogationist College」と「Philippine Missionary Institute」へも行けなくなった。コロナ禍により、先の見通しが立たない世界に遭遇して、我々は何をしたら良いのか、運命はどうなるのだろう。コロナ終息後には西アフリカのセネガル、マリ、ガーナ辺りへ出かけてみたい。

昨今の世界や日本を眺めてみると、２０２１年に世界が直面する大きなリスクは何か。１．トランプ大統領からバイデン新大統領への交替による米国社会分断下の国際情勢、２．新型コロナウイルス危機の長期化、３．気候変動問題、４．米中緊張の拡大、５．メルケル独首相退任後の欧州、などが考えられる。米国の分断を生んだ原因はグローバル化の進展にある。グローバル化の歪みを是正し、諸外国との連携が望まれるとき、日本の役割も一段と重要になるだろう。

一方、イノベーションはＩＴ（情報技術）を軸に、人工知能、生化学、電気自動車、高度医療、新エネルギーなど広範囲に展開している。経済の成長と文化の創成に日本も強靭な精神で取り組まなければ、米国や中国に立ち遅れる。１００年後に、そっと天国から世界や日本がどのように変貌しているか覗いてみたいものだ。

前著にも記したが、もう「ヨレヨレ　ヘロヘロ　枯れ木」になりつつあるが、歳を重ねる毎日の新発見は楽しく、今も変わらない。健康維持。「老いは足から」という。出来る限り歩く機会を増やし、一日一万歩を目指している。「好きな本が読めて、美味しいワインが飲めればこれ以上望むものはない」。……………………「人生を終える時まで」。

本書の刊行にあたり、終始細やかな心遣いをして下さった竹林館代表、左子真由美氏に心から感謝申しあげます。編集の尾崎まこと、松井美和子両氏にも厚くお礼申しあげます。そして最後に、この出版に際して長男・次男家族（幸治、しほり、弥一・英治、祐紀子）の温かい見守りと、陰ながら応援してくれた妻、田鶴子にありがとう。

２０２１年３月20日　春分の日　吹田市桃山台の寓居にて

深尾幸市

初出一覧

＊は出版にあたり加筆修正をしたものです。

Ⅰ　人と旅

ウスビ・サコ京都精華大学学長インタビュー　「教育ＰＲＯ」〈風速計〉２０１８年10月２日号

カルビ・ブカサさんをしのぶ　「アフリカＮＯＷ」１１３号　２０２０年２月29日

マニラ・ダバオ・セブ周遊記　「教育ＰＲＯ」〈風速計〉２０１８年11月20日号

中米４ヵ国弾丸一人旅（１）パナマ編　「教育ＰＲＯ」〈風速計〉２０１９年４月２日号

（２）コスタリカ編　「教育ＰＲＯ」〈風速計〉２０１９年６月25日号

（３）グアテマラ編　「教育ＰＲＯ」〈風速計〉２０１９年７月16日号

世界の旅　リーガ／ホノルル／ザルツブルグ、ブルージュ、そしてベルンカステル／残すはカイロ　＊『知の散歩道』私家版　２０１４年９月

世界の旅　ミンスク　＊「パートナーズ」Vol. 22　２００９年８月31日号

第７回アフリカ開発会議（ＴＩＣＡＤ７）を通じて　「教育ＰＲＯ」〈風速計〉２０１９年10月15日号

アフリカ・Meets・関西　２０１９　「教育ＰＲＯ」〈風速計〉２０２０年２月18日号

フィリピン一週間　―虫の目　日記―　「教育ＰＲＯ」〈風速計〉２０２０年７月21日号

２０２０年度「アフリカ・Meets・関西」と「ＮＧＯ ＳＥＳＣＯ」の活動　＊「教育ＰＲＯ」〈風速計〉２０２０年12月15日号

突然思い出したマルメの街　本書初出

ニジェールの旅　「ＰＯ」１６９号〈ピロティ〉２０１８年５月20日

ナイジェリアからの手紙　「ＰＯ」１７７号〈特集　手紙〉２０２０年５月20日

アフリカ文化研究者白石顕二と『アミルカル・カブラル』と　「ＰＯ」１７８号〈エッセイ〉２０２０年８月20日

記憶の怪しい世界七大バー　本書初出

Ⅱ　評論・エッセイ

『グローバル支援の人類学』信田敏宏／白川千尋／宇田川妙子 編　「ボランティア学研究」18号　２０１８年２月28日

アフリカと国際協力ＮＧＯ活動　『教育フォーラム』日本人間教育学会編　金子書房　２０２０年８月31日

『すべては救済のために』デニ・ムクウェゲ／ベッティル・オーケルンド 著
＊「大阪青山大学短期大学部　紀要」最終号　２０２１年３月31日

「旅」アフリカ特集　１９８０年10月号　本書初出

日本アフリカ学会　第50回学術大会に参加して　本書初出

「多文化共生論」の授業にアイサッタさん　大阪青山大学公式ブログ　ＡＯＹＡＭＡ通信　２０１５年12月

私が読んだアフリカ関係書物　＊「ＮＧＯ ＳＥＳＣＯ論考」№７　２０２０年12月10日

ポストコロナの世界　＊「神戸ＹＷＣＡピース・ブリッジだより」№１　２０２０年11月20日

新型コロナウイルスに閉じ込められた或る老人の一日　本書初出

コロナ禍における大学の諸問題　「ＮＧＯ ＳＥＳＣＯ論考」№９　２０２１年２月10日

春の古書大即売会　２０１８年　本書初出

竹林館祭　２０１９　本書初出

「スタッフ・ベンダ・ビリリ」のリーフレット　本書初出

２０２０年　蓋棺録　「ＮＧＯ ＳＥＳＣＯ論考」№８　２０２１年１月10日

第23回　民間外交推進協会（ＦＥＣ）関西国際セミナーの報告　本書初出

第21回　国際ボランティア学会大会の報告　本書初出

Ⅲ　詩論・文学芸術論

UTRILLO VLAMINCK OGUISS　「ＰＯ」１７１号〈ギャラリー深訪〉２０１８年11月20日

「詩」について　「ＰＯ」１７１号〈エッセイ〉２０１８年11月20日

彼のシャツ　ニール・ホール詩集から　「PO」172号〈特集　次世代に伝えたい詩〉　2019年2月20日
横光利一　モダニズム幻想集『セレナード』　「PO」173号〈特集　モダニズム〉　2019年5月20日
エイモス・チュツオーラ『やし酒飲み』　「PO」174号〈特集　ユーレイ・ghost〉　2019年8月20日
「ウィーン・モダン　クリムト、シーレ世紀末への道」を鑑賞　「PO」177号〈ギャラリー深訪〉　2020年5月20日
パトリス・ルコント　＊「PO」178号〈特集　心に残る映画〉　2020年8月20日
堀口大學詩集の中に見る一片のエロス　「PO」179号〈特集　詩とエロス〉　2020年11月20日
思い出ライブ　「PO」179号〈マイ・フェイバリット・ミュージック〉　2020年11月20日
水了軒の八角弁当　「PO」179号〈エッセイ〉　2020年11月20日
仙厓義梵の言葉から始まって　「PO」180号〈エッセイ〉　2021年2月20日
立原正秋／丸谷才一／開高健　「PO」180号〈特集　記憶・ことば・モノ〉　2021年2月20日
『私のアフリカ、私の旅』読書感想　「PO」171号〈竹林館ブックス〉　2018年8月20日

Ⅳ　書評

西川　恵　著『歴代首相のおもてなし』　「教育PRO」〈この一冊〉　2014年12月16日号
小林俊三　著『ものいう患者』　「教育PRO」〈この一冊〉　2015年3月3日号
鷲田清一　著『しんがりの思想』　「教育PRO」〈この一冊〉　2015年10月20日号
デービッド・アトキンソン　著『イギリス人アナリストだからわかった日本の「強み」「弱み」』　「教育PRO」〈この一冊〉　2015年12月1日号
有馬哲夫　著『歴史とプロパガンダ』　「教育PRO」〈この一冊〉　2016年3月15日号
福嶋　聡　著『書店と民主主義』　「教育PRO」〈この一冊〉　2016年12月20日号
小玉　武　著『美酒と黄昏』　「教育PRO」〈この一冊〉　2018年1月23日号

ロックリー・トーマス 著『信長と弥助』　「教育ＰＲＯ」〈この一冊〉２０１８年３月６日号

＊

西部　邁 著『保守の真髄』　「教育ＰＲＯ」〈この一冊〉２０１８年４月17日号

平川克美 著『21世紀の楕円幻想論』　「教育ＰＲＯ」〈この一冊〉２０１８年６月５日号

藻谷浩介 著『世界まちかど地政学』　「教育ＰＲＯ」〈この一冊〉２０１８年７月17日号

西日本新聞社 編『新 移民時代』　「教育ＰＲＯ」〈この一冊〉２０１８年９月４日号

本の雑誌編集部 編『旅する本の雑誌』　「教育ＰＲＯ」〈この一冊〉２０１８年10月16日号

ヘンリー・ヒッチングズ 編『この星の忘れられない本屋の話』　「教育ＰＲＯ」〈この一冊〉２０１９年２月５日号

沢木耕太郎 著『銀河を渡る』『作家との遭遇』　「教育ＰＲＯ」〈この一冊〉２０１９年３月19日号

シュティフテル 著『遅咲き（ブリギッタ）』　「ＰＯ」１７３号〈エッセイ〉２０１９年５月20日

ジョン・ファーンドン 著『世界一「考えさせられる」入試問題』　「教育ＰＲＯ」〈この一冊〉２０１９年５月21日号

斎藤　禎 著『文士たちのアメリカ留学』　「教育ＰＲＯ」〈この一冊〉２０１９年８月６日号

茂木　誠 著『世界史で学べ！　地政学』　「教育ＰＲＯ」〈この一冊〉２０１９年９月17日号

ブレイディみかこ 著『ぼくはイエローでホワイトで、ちょっとブルー』　「教育ＰＲＯ」〈この一冊〉２０１９年11月５日号

池内　紀 著『記憶の海辺』　「教育ＰＲＯ」〈この一冊〉２０１９年12月３日・２０２０年２月４日各号

松岡亮二 著『教育格差』　「教育ＰＲＯ」〈この一冊〉２０２０年３月３日号

ペール・アンデション 著『旅の効用』　「教育ＰＲＯ」〈この一冊〉２０２０年４月21日号

石原慎太郎 著『老いてこそ生き甲斐』　本書初出

ハ・ワン 著『あやうく一生懸命生きるところだった』　「教育ＰＲＯ〈この一冊〉」２０２０年８月18日号

ローベルト・ゼーターラー 著『ある一生』　「教育ＰＲＯ」〈この一冊〉２０２０年11月17日号

エルトン・ジョン 著『ME ELTON JOHN』　「教育ＰＲＯ」〈この一冊〉２０２１年２月16日号

著者近影

深尾幸市（ふかお こういち）

1939（昭和14）年　9月4日、岐阜県に生まれる
1958（昭和33）年　大阪府立市岡高等学校卒業
1963（昭和38）年　関西学院大学経済学部卒業
同年、大日本紡績株式会社（現ユニチカ）入社
国内勤務（経理部、原綿課、秘書室、国際本部）を経てナイジェリア、ドイツに駐在
その後、大阪城南女子短期大学事務局長、森ノ宮医療大学顧問
2014（平成26）年
大阪大学大学院人間科学研究科国際協力学博士後期課程単位取得退学
大阪青山大学客員教授・大手前大学客員教授

現在、桃山学院教育大学客員教授、Rogationist College および Philippine Missionary Institute 交換客員教授、NPO法人ERP教育研究所顧問、NPC大学問題研究所客員研究員、アフリカ日本協議会理事、NGO SESCO副理事長、国際ボランティア学会・日本アフリカ学会・アフリカ教育研究学会・アフリカ協会・民間外交推進協会、各会員

著書　『ボランティア　その理論と実践』（編著　久美株式会社　2004年）
　　　『知の散歩道』（私家版　2014年）
　　　『私のアフリカ、私の旅』（竹林館　2018年）

深尾幸市評論・エッセイ集
人と地球をたずねて
The Never-Ending Search for Human Relations and Global World
— Critic and Essay Collections of Koichi Fukao —

2021 年 4 月 20 日　第 1 刷発行
著　者　深尾幸市
発行人　左子真由美
発行所　㈱ 竹林館
〒 530-0044　大阪市北区東天満 2-9-4　千代田ビル東館 7 階 FG
Tel　06-4801-6111　Fax　06-4801-6112
郵便振替　00980-9-44593
URL http://www.chikurinkan.co.jp
印刷・製本　モリモト印刷株式会社
〒 162-0813　東京都新宿区東五軒町 3-19

© Fukao Koichi　2021 Printed in Japan
ISBN978-4-86000-445-3　C0095

定価はカバーに表示しています。落丁・乱丁はお取り替えいたします。